<그리스도인이면 꼭 알아야 할 성경 지식>

고린도후서

제1권 그리스도인 사역자의

고난과 영광(1-6장)

서울솔로몬학교 성경연수원

차 례

이 책에 인용된 성경 구절은 〈한글킹제임스성경〉입니다.

제1과
그리스도인의 고난과 위로(1장)

『하나님을 송축하리로다. 그는 우리 주 예수 그리스도의 아버지시요, 자비의 아버지시요, 모든 위로의 하나님이시며 우리의 모든 환난 가운데서 우리를 위로하시는 분이시라. 그러므로 우리 자신이 하나님께 받은 위로로써 어떠한 고난 중에 있는 사람들도 위로할 수 있는 것이라』(고후 1:3,4).

고린도후서는 어떤 책인가?

■ 하나님의 일꾼이 반드시 읽어야 할 책 ■

고린도후서는 "사도 바울"이, A.D. 58-59년(제3차 선교 여행)에 마게도니아의 첫째가는 성읍인(행 16:12) "빌립보"에서, "고린도에 있는 하나님의 교회"와 "아카야에 있는 모든 성도"에게 보낸 서신이다(고후 1:1,2).

고린도후서는 핵심 내용이 "사역"으로서, 하나님의 사역에 부르심을 받은 일꾼들에게 귀중한 지침이 된다. 피터 럭크만 목사는 "고린도후서는 사역에 관한 연구에 있어서 '가장 위대한 책'이다."라고 했으며, 윌리엄 T. 브루너 박사는 "이 책은 사역자의 책이며, 그리스도인의 사역을 위한 바로 '그 책'이다."라고 말했다. <u>따라서 고린도후서의 주제는 한마디로 "그리스도인의 사역"인 것이다</u>.

한편 사역, 곧 성경적 사역은 "고난"을 빼놓고 설명할 수 없다. 그리스도 예수 안에서 경건하게 사역하면 반드시 고난과 박해가 뒤따르기 때문이다(딤후 3:12). 이처럼 고린도후서에는 "고난의 사역"을 보여 주는 단어들이 많이 나오는데, "고통, 박해, 당혹스러움, 배고픔, 매 맞음, 돌로 맞음, 애를 씀, 실족, 눈물, 신음, 괴로움, 환난, 약함, 위험, 모욕, 떨림, 두려움, 궁핍, 낙심, 가난, 슬픔, 비탄, 내던져짐, 삼켜짐, 버림받음, 소요, 절망, 갇힘, 종으로 삼음, 수고, 죽음, 애통함, 멸망" 등이 그렇다. <u>이 단어들은 모두 "성경대로 믿는 그리스도인의 사역의 진면모"를 보여 준다</u>.

그리스도인의 위로(1-10절)

“인생의 바다”에서 잔잔한 파도든지, 높고 거친 파도든지, 파도를 경험해 보지 않은 성도는 단 한 명도 없다. 가난이든지, 죽음이든지, 질병이든지, 고통, 시련, 절망 그리고 낙심이든지, 고난은 언제나 있었고, 어디에서나 있었으며, 누구에게나 있었다. 이 세상에서 시련과 낙심으로부터 자유로운 사람은 단 한 명도 없다. 그래서 인간에게는 위로가 필요하다. 특히 예수 그리스도의 피로 구속받은 성도에게 위로가 필요하다. 왜냐하면 이 땅에서 타국인과 순례자로 살아가는 성도에게는 이 세상이 살 만한 곳이 못 되기 때문이다. 그리스도인은 인간이라면 누구나 겪을 수 있는 고통뿐만 아니라, “그리스도인”이라는 이유로 당면하는 고통도 있어서 그 어떤 사람들보다 “위로”가 더 필요하다.

1. 자비의 아버지, 위로의 하나님(1-3절)

“참된 위로”는 오직 “하나님”께서만 주실 수 있다. 주님께서는 『**인내와 위로의 하나님**』(롬 15:5)이시며(3절), 『**낙심한 자들을 위로하시는 하나님**』(고후 7:6)이시기 때문이다.

생각해 보라! 사랑하는 가족을 땅에 묻어야 했던 성도들, 가정 파탄을 경험한 성도들, 부도가 나고 실직을 경험한 성도들, 견디기 어려운 질병으로 힘든 하루를 보내고 있는 성도들, 진리를 믿고 실행한다는 이유로 박해를 받는 성도들, 피를 나눈 가족들과 영적 전쟁을 겪어야 하는 성도들, 죄로 인해 커다란 실의와 낙담에 빠진 성도들 등, 과연 누가 이들의 마음을 진정으로 위로해 줄 수 있단 말인가? 결단코 이 땅에서는 참된 위로자를 찾을 수 없다(시 69:20). 모두 형편없는 위로자들일 뿐이다(욥 16:2; 21:34). 그래서 고난에 처한 성도는 마땅히 하나님의 위로를 구해야 하고, 어떤 상황에 부닥치든지 그 위로를 기다려야 하며, 또한 그 위로 안에서 평안히 쉴 수 있어야 한다. **왜냐하면 하나님께서는 모든 환난 가운데서 "영원한 위로"(살후 2:16)로 우리를 위로하실 수 있는 유일한 분이시기 때문이다**.

2. 고난과 위로의 목적(4-10절)

『이는 그리스도의 고난이 우리에게 넘친 것같이 우리의 위로도 그리스도로 말미암아 넘치기 때문이라』(5절).

첫째, "고난" 속에서 "하나님의 위로"가 넘치게 하시기 위해서이다(5절). 믿음의 창시자요 완성자이신(히 12:2) 예수 그리스도께서는 우리를 위해 고난을 받으셨고, 우리에게 고난의 본을 남겨 놓으시어 우리가 그 발자취를 따르게 하셨다(벧전 2:21). 바울은 그 "고난의 발자취"를 신실하게 따랐는데(9절, 갈 6:17, 빌 3:10, 골 1:24), **『극심한 압박으로 인하여 견딜 힘을 잃어 심지어는 삶의 절망에까지』**(8절) 이를 정도로 고난을 받은 것이다. 그런데도 바울은 낙담하거나 좌절하지 않았고, 오히려 소망 가운데 기뻐하고 즐거워하면서 믿음의 경주를 온전히 마쳤다. 이는 그가 "**고난이 넘치면 위로도 넘친다**"는 진리를 배웠기 때문이다(5절).

둘째, "고난에 처한 다른 성도"를 "위로"할 수 있도록 하기 위해서이다(4절). 동일한 고난 속에서 하나님의 위로를 받아 본 성도만이 고난에 처한 다른 성도를 진정으로 위로할 수 있다. 피터 럭크만 목사는 "**고난을 겪어 본 적이 없는 성도보다 더 생기가 없는 것은 없다**."라고 말했다. 따라서 고난 속에 있는 성도는 반드시 하나님의 위로를 경험해야 하고, 그렇게 얻은 위로를 통해 생기 있는 성도가 되어 고난에 직면한 다른 성도를 위로하고 섬길 수 있어야 한다.

동일한 메시지를 들더라도 어떤 설교는 가슴에 와 닿지만 어떤 설교는 가슴을 지나쳐 버린다. 이는 가슴에 와 닿는 설교를 한 설교자는 그 설교와 연관된 고난과 위로를 충분히 경험했지만, 가슴에 아무 영향도 주지 않는 설교자는 그 메시지에 영적인 힘과 격려와 도전의 무게가 실릴 만큼 충분한 고난과 위로를 겪지 않았기 때문이다. 그래서 어떤 설교에 그만한 무게가 실리려면, 그 메시지를 전달하는 설교자가 맷돌로 빻아지는 고난과 그 속에서 주어지는 위로를 경험해야 한다.

셋째, 고난받는 다른 성도를 "구원"할 수 있도록 하기 위해서이다(6,7절). **『우리가 고난을 당하여도 너희의 위로와 구원을 위함이니 그것들은 또한 우리가 겪는 동일한 고난을 잘 견딜 수 있게 해주며 우리가 위로를 받는 것도 너희의 위로와 구원을 위한 것이라』**(6절). 여기서 "구원"은 "지옥에서 건져 냄을 받는다는 의미의 구원"이 아니라, "**고난을 잘 견디고 극복한다는 의미에서의 구원**"을 가리킨다. 한편 "아무런 열매도 없는 척박한 황무지 같은 인생을 종식한다는 뜻에서의 구원"을 가리키기도 하는데, 인생에서 하나님을 위해 고난도 받고, 위로를 통해 고난에서 승리하는 경험도 해 봐야 열매와 간증이 있게 되고 생동감이 넘치는 영적 생활을 영위할 수 있는 것이다.

넷째, 하나님만을 "신뢰"하게 하기 위해서이다(9,10절). 종종 죽을 만큼 몸이 무척 아프거나 마음이 갈가리 찢겨 모든 것이 끝났다는 생각마저 들 때, 그것은 하나님을 더욱 신뢰하게 하시기 위해 주님께서 행하시는 일임을 기억해야 한다. 따라서 극한의 고통이나 질병, 슬픔, 위협 등이 거세게 밀어닥칠 때, 절대로 낙심하지 말고 모든 짐을 주님께 맡김으로써 힘과 위로를 주시는 하나님 아버지의 품 안에서 위로와 안식을 얻어야 한다.

하나님께서는 우리가 구속받은 이래로 단 한 번도 그분의 자비와 은혜를 거두신 적이 없으며, 그분의 자녀들을 고난 가운데 사생아처럼 내버려 두신 적이 없다. 또한 어떤 특정한 상황에서만, 혹은 어떤 특정한 사람들만 위로하시는 분이 아니라 『**모든 위로의 하나님**』(3절)이시다. 성도들에게 고난을 허락하신 주님께서는 반드시 그 고난을 넉넉하게 이길 수 있도록 위로도 주신다는 사실을 절대 의심하지 말라! 진정한 위로자이신 하나님께서 계시지 않으셨다면, 실로 우리의 인생은 눈물과 슬픔으로만 얼룩졌을 것이다.

위로의 권면과 호소(11-24절)

1. 기도로 협력하라(11절).

사도 바울은 "동역자들의 기도"가 필요했다. 왜냐하면 성경적 사역에는 고난이 따를 수밖에 없고, 고난에는 위로가 필요하기 때문이다(1:3-7). 바울이 하나님의 도우심으로 "극심한 압박과 사망"에서 구출될 수 있었던(1:8-10) 것은 신실한 동역자들이 바울을 위해 기도로 협력했기 때문이다. 이 사실을 잘 알고 있었던 바울은 그의 동역자들에게 기도로 "협력"할 뿐 아니라, 기도로 "분투"할 것에 대해서도 호소했다(롬 15:30).

지역 교회 안에 소속된 성도는 항상 기도로 협력함으로써 부지런히 섬겨야 하고, 기도로 분투함으로써 영적 전쟁에 적극적으로 동참해야 한다. 고린도 교회 성도 가운데 많은 성도가 바울이 소아시아에서 겪은 극심한 고난을 잘 알고 있었기에 바울을 위해 기도로 협력했을 뿐만 아니라 "물질적으로도" 지원했다. **『이는 많은 사람으로 인해 우리에게 내린 은사에 대하여 우리를 대신하여 많은 사람이 감사하게 하려 함이라』**(11절). 여기서 "은사"는 "영적인 은사"가 아니라 "재정적인 지원"을 의미한다.

2. 서신에 기록한 내용이 "주의 명령"임을 알라(12-14절).

『우리는 너희가 읽는 것이나 아는 것 외에 다른 것을 너희에게 쓰지 아니하노라. 너희가 끝까지 알기를 내가 바라노니』(13절). 『만일 누구든지 자기를 선지자나 영적인 사람으로 생각한다면 내가 너희에게 쓰는 글들이 주의 명령들임을 인식해야 할 것이라』(고전 14:37).

고린도 교회 안에는 바울의 "사도적 권위"를 의심하면서 대적하는 자들이 있었다. 이에 바울은 본 서신이 "하나님으로부터" 나온 것이고, 또 "주의 명령들"이라는 사실을 고린도 교회 성도들이 올바로 알기를 원했다. 그러한 사실은 바울의 "신실한 사역"이 입증해 주고 있었는데, 그의 사역의 특징은(12절) ❶ "**<u>양심적인</u>**" 사역이었고(4:2; 5:11, 행 20:26,27), ❷ "**<u>진지함과 경건한 성실함으로</u>**" 이루어진 사역이었고, ❸ "**<u>육신의 지혜가 아닌 하나님의 은혜로</u>**" 행해진 사역이었던 것이다(cf. 벧전 4:11).

바울은 그러한 사역을 수행하되, 특히 고린도 교회 성도들을 위해 풍성하게 행했는데(12절), 그 결과 "주 예수의 날"에 그들은 바울의 기쁨이 되고, 바울은 그들의 기쁨이 될 것이다(14절). **『우리의 소망이나, 기쁨이나, 자랑의 면류관이 무엇이냐? 그가 오실 때 우리 주 예수 그리스도 앞에 있을 너희가 아니겠느냐? 이는 너희가 우리의 영광과 기쁨이기 때문이라』**(살전 2:19,20). 그날에 우라는 우리가 복음으로 구령하고 말씀으로 양육한 사람들로 인해 기뻐할 것이고, 그들 역시 우리로 인해 매우 기뻐할 것이다.

"주 예수의 날"(14절, 고전 5:5)은 "그리스도의 날"(빌 1:10; 2:16)로서, "휴거"부터 시작하여 "그리스도의 심판석"과 "어린 양의 혼인식"을 지나 "재림"까지 이르는 기간을 의미한다. 이날은 "예수 그리스도의 날"(빌 1:6) 또는 "주 예수 그리스도의 날"(고전 1:8)로도 불리고, 또한 휴거 때 "몸의 구속"을 입기 때문에 "구속의 날"로도 불린다(엡 4:30). **『주 예수의 날에 너희도 우리의 기쁨이 되듯 우리가 너희의 기쁨이라는 것이라.』**(14절)라는 말씀은 "그리스도의 심판석"의 상황과 연결되는데, 이는 그 기쁨이 "자랑의 면류관을 받는 구령자의 기쁨"(살전 2:19,20)과 관련이 있기 때문이다.

3. 고린도 교회 성도들을 아끼는 마음에 대해 유념하라(15-24절).

『뿐만 아니라 나는 내 혼을 걸고 하나님을 불러 증인을 삼나니 너희를 아끼려고 아직 고린도에 가지 아니하였노라. 우리는 너희의 믿음을 주관하려는 것이 아니요, 다만 너희를 기쁘게 하기 위한 동역자라. 이는 너희가 믿음으로 서 있기 때문이라』(23,24절).

1) <u>고린도 교회 성도들을 사랑하고 아끼는 마음</u>(15,16절)

현재 제3차 선교 여행 중인 바울은 "육신적인 고린도 교회" 안에 나타나고 있는 여러 가지 문제들(고전 1-16장)을 한시라도 더 빨리 바로잡기 위해 "처음의 계획"(고전 16:5)을 변경하여 마케도니아를 경유하지 않고 곧바로 고린도 교회로 가려고 했었다(15,16절). <u>**그러나 본래의 계획대로 선교 여정을 밟아 나**</u>

갔는데, 이는 고린도 교회의 성도들을 "아끼는 마음" 때문이었다(23절, 2:1).

바울이 보낸 첫 번째 서신 "고린도전서"를 통해 그들도 나름대로 깨달은 바가 있었을 것이고, 서신을 통해 책망받은 것에 대해 그들 스스로 정리하고 회개하고 문제를 바로잡을 시간이 필요했을 것이다. 이런 기회를 그들에게 주려고 바울이 고린도 방문 계획을 조금 늦춘 것인데, 만일 이런 것들을 무시한 채 시일을 앞당겨 좀 더 빨리 방문했다면, 아직 스스로 문제를 해결하지도 바로잡지도 못한 그들의 상황을 보고서 또다시 강력하게 징계하고 책망했을 것이고, 그런 가운데 많은 슬픔에 잠겼을 것이다(2:2,3).

2) 하나님의 약속과 그분의 뜻에 따라 세운 계획(17-20절)

이렇게 "변경된 계획"으로 인해 고린도 교회 성도들 가운데 어떤 이들은 꼬투리를 잡으면서 바울은 "이랬다저랬다" 하는 "경솔한 사람"이라고 비난했을지 모른다. 그러나 바울은 어떤 일을 계획하고 수행할 때 "육신적으로나 경솔하게" 계획을 세우지 않았으며, 또한 그런 식으로 계획을 수행하지도 않았다(17절). 항상 바울은 하나님의 분명한 명령이나 약속, 특히 "그분의 뜻"에 따라 계획을 세우고 수행했는데, 이런 계획 속에서는 어떤 것을 임의로 선택할 권리가 성도에게 주어지지 않는다. 왜냐하면 그 명령과 약속과 뜻을 보여 주신 하나님께서는 항상 "참되시기" 때문이다(18절). 따라서 하나님의 모든 인도하심 앞에서는 "둘 중 하나를 선택하는 것," 곧 "예나 아니오"가 있어서는 안 되고, 항상 모든 것이 "예"가 되어야 한다.

이러한 자세에 대해서는 예수 그리스도께서 먼저 본을 보여 주셨는데(19절), 특히 겟세마네 동산에서는 처음에 "가능하시거든 진노의 잔을 내게서 옮겨 달라."라고 아버지 하나님께 간구하셨지만, 진노의 잔을 받으시는 것이 아버지 하나님의 뜻임을 아셨기에, 곧바로 그 기도를 철회하시고 "아버지의 뜻대로 해 주시라."라고 기도하셨다(마 26:39). 십자가에 달려 죽으시고 부활하시고 승천하시기까지 예수 그리스도 안에는 항상 "예"만 있으셨던 것이다(19절).

무엇보다도 주님 안에서는 하나님의 모든 약속이 오직 "예"가 되기에, "아멘"으로 받아들이고 하나님께 영광을 돌리면 된다(20절). 분명한 하나님의 말씀 앞에서 "그것이 옳은가, 그른가," 그래서 그것을 "'예' 하면서 할 것인가 아니면 '아니오' 하면서 거절할 것인가"라는 식의 "옳고 그름을 재는 인간의 판단"은 무의미하다. 오직 "아멘, 그렇습니다!"라고 고백하면서 믿음으로 행하고 하나님께 영광을 돌려야 한다. 고린도 교회를 방문하는 것과 연관된 바울의 계획은 바로 이러한 자세에서 비롯된 것이었다.

3) 구원의 영원한 보장(21-24절)

한 번 구원받은 그리스도인들은 어떤 이유를 막론하고 예수 그리스도에게서 떨어져 나갈 수 없는데 그 이유는 다음과 같다.

첫째, 하나님께서 성도들을 그리스도 안에서 확정하셨기 때문이다(21절). 구원받은 순간 성령 침례를 통해 우리를 "그리스도의 몸" 안으로 넣으시어 그 몸의 지체들이 되게 하신 것이다.

둘째, 하나님께서 성도들에게 기름을 부으셨기 때문이다(21절). 이것은 성령 하나님께서 성도들의 몸 안으로 들어오시어 영원히 내주하시는 것을 의미한다(골 1:27, cf. 요 16:13, 요일 2:20). 즉 이러한 기름 부으심은 "영원한 기름 부으심"인 것이다.

『그러나 너희가 그분께로부터 받은 기름부음이 너희 안에 거하나니, 아무도 너희를 가르칠 필요가 없고, 오히려 그 동일한 기름부음이 너희에게 모든 것을 가르치며, 또 그것은 진리요 거짓말이 아니니, 그 기름부음이 너희를 가르친 그대로 너희는 그분 안에 거할지니라』(요일 2:27).

셋째, 성령으로 인치시고 성령의 보증을 주셨기 때문이다(22절). **『너희도 진리의 말씀, 곧 너희 구원의 복음을 듣고서 그분을 신뢰하였으니 또 너희가 그분을 믿고서 약속의 그 성령으로 인침을 받은 것이니라』**(엡 1:13). 구원의 복음을 듣고 신뢰한 순간 성령으로 인침을 받은 것이다(엡 1:14; 4:30).

금융계에서 "계약금"은 당신이 무언가를 구매할 때 진지한 태도로 임하고 있다는 것을 확실하게 보여 주는 약조금이다. 하나님께서는 우리를 구원하시는 일에 관한 한 매우 진지하신데(살전 5:23), 우리 안에 사시는 성령님께서는 하나님께서 그 모든 것에 대한 권리를 주장하시는 날까지 "그 소유권에 대한 권리 증서"가 되신다. 하나님께서는 "우리를 구매하셨고"(고전 6:20; 7:23 - **『값을 치르고 산 것이니』**), 그분의 재산인 우리 위에 "도장을 찍으셨다"(봉인). 더욱이 "문서 계약서"(신약 성경)에 "서명까지 하셨다." 만일 주님께서 계약서에 대해 잔금을 치르시지 않는다면, 우리는 곤경에 처할 것이지만, 하나님의 모든 약속은 항상 "예"라는 것임을 기억해야 한다(20절). 한 구원받은 흑인 소년이 있었다. 한번은 그가 불량한 무리 속에 끼어 위협받고 있었을 때, 그는 이렇게 기도하며 간구하기 시작했다. "주님, 주님의 재산이 위험에 처해 있습니다!"(피터 럭크만)

바울은 고린도 교회 성도들에 대해 강한 영적 부담이 있었고, 그들을 바로잡고 올바로 세우기 위해 산고의 고통을 치르고 있었다. 그는 그들의 문제점을 책망하고 바로잡으면서도 그 이면에는 사랑과 배려를 간직하고 있었던 것이다(24절). 분명 바울은 좀 더 서둘러 갈 수 있었고, 또 그렇게 하려고 했다. 그러나 그렇게 했다면 아주 무섭고 혹독한 매와 책망을 들고 갔어야 했을 것이다. 그렇게 되면 책망을 받는 당사자는 물론, 책망하는 바울 자신도 마음이 편치 않았을 것이다. 서로 간에 슬픔을 당할 수밖에 없었을 것이다(2:1-3). 따라서 고린도 교회의 성도들이 먼저 스스로 자기들의 여러 가지 문제들을 바로잡기를 바라는 마음에서 방문 시기를 늦추었다(23절).

사도 바울은 그들의 믿음을 주관하려 하지 않았고, 그리스도 안에 있는 한 동역자의 자세로 권면했다(24절). 이처럼 신실한 목자는 양들을 육신적인 권위로 지배하지 말아야 하고, 그 대신 양 무리의 본이 되어 잘 돌보고 잘 다스려야 한다(벧전 5:3). 성경적 권위와 하나님께서 부여하신 영적인 권위로 잘 다스려야 하는 것이다(히 13:7, 딤전 5:17).

■ 새롭게 깨달았거나 적용할 내용이 있다면 적어 보세요. ■

제1과
복습문제

1. 고린도후서의 주제는 "그리스도인의 (   )"이다.

2. 성경적인 사역은 "고난"과 무관하다. (O , X)

3. 『하나님을 송축하리로다. 그는 우리 주 예수 그리스도의 아버지시요, 자비의 아버지시요, 모든 (   )의 하나님이시며 우리의 모든 환난 가운데서 우리를 (   )하시는 분이시라. 그러므로 우리 자신이 하나님께 받은 (   )로써 어떠한 고난 중에 있는 사람들도 (   )할 수 있는 것이라』(고후 1:3,4).

4. 『너희 또한 부분적으로 우리를 아는 바와 같이, (   )의 날에 너희도 우리의 기쁨이 되듯 우리가 너희의 기쁨이라는 것이라』(고후 1:14).

5. 『우리, 즉 나와 실루아노와 디모데가 너희 가운데서 전파한 하나님의 아들 예수 그리스도는 '예'와 '아니오'가 아니라 그분 안에는 '(   )'만 있었느니라. 그분 안에 있는 하나님의 모든 약속은 '(   )'가 되기에 우리는 그분 안에서 '(   )'하고 하나님께 영광을 돌리노라』(고후 1:19,20).

- 복습 문제의 정답은 홈페이지(www.solomonbtc.org)에서 확인할 수 있습니다.

NOTES

NOTES

NOTES

제2과

생명의 향기 대 사망의 향기(2장)

『정녕 이 사람들에게는 사망에 이르는 사망의 향기이나 저 사람들에게는 생명에 이르는 생명의 향기라. 누가 이런 일들을 원만히 감당하겠느냐?』(고후 2:16)

그리스도의 향기

세상에는 여러 가지 냄새와 향기가 있다. 인간이 맡을 수 있는 냄새의 종류는 최소 일만 가지 이상이라고 한다. 그런데 다른 감각과는 다르게 이런 다양한 냄새를 객관적으로 나타낼 수 있는 일반화된 언어적 표현이 존재하지 않는다. 예를 들면 색깔은 빨간색, 노란색, 파란색 등의 정형화된 단어로 표현할 수 있지만, 냄새의 경우에는 그런 객관적인 표현이 없고, 그저 그 냄새를 뿜어내는 사물의 이름을 사용하여 냄새를 설명할 수밖에 없다. 일례로 아카시아에서 나는 냄새는 그냥 "아카시아 냄새"라고 하고, 커피에서 나는 향은 그냥 "커피 향"이라고만 말하는 것이다.

<u>한편 그리스도인들에게는 그들만의 독특한 향과 냄새가 있다. 성경은 그것을 가리켜 "그리스도의 향기"(15절)라고 말씀한다</u>. 어떤 성도가 자신의 몸에서 그리스도의 향기가 나지 않는다면, 그것은 그리스도인으로서의 정체성과 가치를 잃어버렸다는 것을 의미한다. 독특한 백성으로서 지니고 살아야 할 가치를 잃어버린 것인데, 이 말은 "영원에 대한 가치"를 저버리고 "육신적이고 세상적인 그리스도인"으로 전락했다는 뜻이다. 이런 성도는 순간의 제단에다 영원한 것들을 불사르는 것에 있어서 조금도 주저하지 않는다. 위의 것을 바라보기보다는 땅의 것을 바라보고, 눈에 보이지 않는 영원한 것을 추구하기보다는 잠깐 보이다가 사라질 것들만을 추구한다. 구원만 받았을 뿐 세상 사람들과 별반 차이가 없는 것이다!

고린도 교회 성도들을 아끼는 바울(1-4절)

바울에게는 고린도 교회의 영적 상황에 대해 진심 어린 부담과 슬픔이 있었다. 특히 이 슬픔은 그들이 공공연하게 드러내 놓고 행했던 "죄"(근친상간 등)에 대한 슬픔이었다. 그런데 바울이 "슬픔으로 가지 않겠다."(1절)라고 결심했을 때, 그가 염려했던 "슬픔"은 혹시라도 그들의 "바로잡히지 못한 모습"을 보게 되고 더 나아가 "그에 따른 책망과 징계"가 불가피한 상황에 직면할지도 모른다는 슬픔이었다(3절, 고후 12:20,21; 13:10). 쉽게 말해 매를 들지 않고 좋은 말로 권면할 때 잘 깨닫고 스스로 알아서 올바르게 바로잡으라는 것이다.

이처럼 바울은 그들에게 서둘러 갔을 때 불가피하게 책망하고 징계하며, 심지어 누군가를 쫓아내기까지 함으로써 생길 수 있는 슬픔을 피하고 싶었다. 그래서 그들 스스로 알아서 정리하고 회개하며 돌이키고 올바른 자세를 정립할 기회를 주고 있는 것이다(4절).

바울이 진정으로 원하는 것은 자신을 마땅히 기쁘게 해 주어야 할 고린도 교회 성도들부터 슬픔을 얻지 않는 것이었다(3절). 무엇보다도 그들은 바울이 복음을 통해 직접 낳은 영적인 자녀들이 아니던가!(고전 4:15,16) 다시 말해 직접적인 방문을 통해 바로잡는 것이 아니라, 이 서신을 통해 그들 스스로 회개하고 바로잡으면 그것은 바울을 기쁘게 하는 것이 되고, 또한 바울의 그러한 기쁨은 고린도 교회 성도들의 기쁨이 되는 것이다(3절). 이것이 바로 "진정한 사랑"이다. 부모가 자녀들을 책망하고 바로잡는 것도 이러한 사랑이 있어서 할 수 있는 것이다. 그만큼 사랑하고 염려하기 때문에 마음의 상처를 각오하고서라도 반드시 책망하고 바로잡는 것이다.

회개한 성도를 향한 용서와 사랑(5-11절)

1. 죄에 대한 책망과 죄를 지은 성도에 대한 조치(마 18:15-19)

죄를 지은 형제에게 "개인적으로" 가서 그 잘못을 일깨워 준다. 그래도 말을 듣지 않으면, 자신 외에 한두 사람을 더 데리고 가서 모든 사실 관계를 확인하는 가운데 "두세 증인의 입으로" 꾸짖는다.

그래도 말을 듣지 않으면, "교회"가 말하고, 그래도 말을 듣지 않으면 "쫓아내야" 한다(출회). 『**너희 가운데 음행이 있다는 것은 다 알려진 바로되 즉 어떤 자가 자기 아버지의 아내를 취하였다는 것이니 그러한 음행은 이방인들 가운데도 없는 일이라. 그런데도 너희가 통곡하기는커녕 교만해져서 이런 행위를 한 자를 너희 가운데서 쫓아내지 아니하는도다**』(고전 5:1,2). 심지어 바울은 그의 "육신"("혼"이 아님)을 사탄에게 넘겨주어 멸망케 하려고 했다(고전 5:5).

그뿐만 아니라 성경은 그렇게 "출회시킨 자"를 『**이교도나 세리와 같이 여기라.**』(마 18:17)라고 말씀한다. 말하자면 죄를 지은 누군가가 성경적인 책망에도 불구하고 돌이키지 않는다면, 그를 "구원받지 않은 사람"처럼 취급하라는 것이다!

> 고린도 교회 성도들은 바울의 권면대로 "음행을 저질렀던 형제"에 대해 합당한 조치를 취했다. 『**그런 사람은 다수에 의하여 책망받는 것으로 충분하니**』(6절). 한편 그렇게 책망받고 교회에서 내쫓긴 당사자는 징계를 받던 중 진실로 슬퍼하고 회개했다. 그러자 바울은 그렇게 진심으로 회개한 형제를 다시 용서하고 받아 주라고 권면한다. 『**그러므로 너희는 오히려 그 반대로 그런 사람을 용서하고 위로하여야 하리니**』(7절).

2. 회개한 성도에 대한 조치(7,8절)

죄에 대해 회개한 성도를 용서하고 형제자매로서 다시 받아들여야 한다. 용서했다고 하면서 여전히 그를 향해 시큰둥하게 대하고 있다면 그것은 진심으로 용서한 것이 아니다. 용서한다면 진심으로 용서하고 위로해 주어야 그 당사자가 더 심한 슬픔에 빠지지 않게 된다(7절). 이것은 매우 중요한 문제인데, 그렇게 "심한 슬픔"이 때로는 그 사람의 좌절과 낙심으로 이어지기도 하지만, 때로는 또 다른 분노와 복수심으로 이어지기도 하기 때문이다. 따라서 이 부분과 관련하여 가장 중요한 것은, 책망도 좋고 위로도 좋고 용서도 좋지만, 그 회개한 성도를 "진정한 사랑으로" 용서했는지 자신을 돌아보는 것이다(8절).

『왕[다윗]이 말하기를 "그[압살롬]로 그의 집으로 돌아가게 하고 내 얼굴을 보지 못하게 하라." 하니라. 그러므로 압살롬이 그의 집으로 돌아갔으나, 왕의 얼굴은 보지 못하였더라』(삼하 14:24). 다윗이 압살롬을 그술에서 돌아오게 했을 때, 그를 용서하려 했다면 완전히 용서했어야 했다. 하지만 그렇게 하지 않고 압살롬의 얼굴을 만 2년 동안이나(삼하 14:28) 보지도 않았다. 사실 회개한 사람을 용서했다고 하면서 그와 상대도 하지 않으려 한다면 그것은 진정한 용서가 될 수 없다. 어쩌면 이 2년의 기간이 압살롬의 마음속에 "다윗에 대한 모반"을 싹트게 했을지도 모른다.

3. 사탄이 유익을 취하지 못하게 하라(9-11절)

거듭난 그리스도인이 회개한 누군가를 용서했다면 그것은 "그리스도를 대신하여" 용서한 것이 된다(10절). 이것은 그리스도인들이 예수 그리스도의 "대행자들," 곧 "그리스도의 대사들"임을 보여 준다. 『**그러므로 이제 우리는 그리스**

도를 대신한 대사들로서 하나님께서 우리를 통하여 너희를 권면하신 것같이 우리도 그리스도를 대신하여 너희에게 간구하노니 너희는 하나님과 화해하라』(고후 5:20). 그래서 하나님의 자녀에게는 그리스도를 대신하여 죄들을 용서하기도 하고, 그대로 두기도 하는 권세를 지니게 된다(요 20:23). 물론 그리스도인에게 직접 죄를 용서할 수 있는 권세가 있는 것은 아니다. 다만 "그리스도를 대신하여" 용서에 관해 선포하고 전달할 수는 있는 것이다.

고린도 교회의 성도들은 "용서"에 관한 바울의 권면에 복종해야 했는데(9절), 이는 그들이 용서하지 않으면 사탄이 그 틈을 활용하여 "상당한 유익"을 취해 갈 수 있었기 때문이다. **『사탄이 우리에게서 유익을 취하지 못하게 하려는 것이니 이는 우리가 그의 계략을 모르지 않음이라』**(11절). 일례로, "음행"으로 인해 징계를 받았다가 진정으로 회개하고 돌아온 그 형제를 용서하지 않는다면, 그는 낙담과 실의에 빠져 온전히 회복할 기회를 상실한 채 모든 영적인 것들을 포기하는 사태까지 벌어지게 된다. 그렇게 되면 그는 정말로 사탄에게 넘어갈 것이고, 결국 사탄만 유익을 취하는 꼴이 될 것이다.

사탄은 마땅히 용서해야 할 성도의 마음속에 증오와 미움으로 가득 차게 함으로써 평생 서로 간에 교제가 단절되게 하여 "그리스도의 몸"인 "교회"를 병들게 하고 파괴할 것이다. 용서하지 않는 마음은 커다란 암 덩이처럼 평생 우리를 따라다닌다. "용서하지 않는 마음은 마치 독사에게 물렸으면서도 그 독을 재빨리 빼기보다는 오히려 자기를 문 독사를 잡기 위해 쫓아다니는 모습과 매한가지이다"(피터 럭크만).

사탄의 간교한 계략 중 하나는 여러 가지 방법으로 "용서하지 못하게 만드는 것"이다. 그래서 바울은 이렇게 권면한다. **『모든 겸손과 온유와 오래 참음과 사랑 가운데서 서로 용납하고 화평의 띠 안에서 성령의 하나 됨을 지키도록 열심히 노력하라』**(엡 4:2,3).

생명의 향기와 멸망의 향기(12-17절)

1. 승리에 관한 위대한 약속(14절)

『항상 우리를 그리스도 안에서 승리하게 하시고 또 어느 곳에서나 우리로 하여금 그분에 관한 지식의 향기를 나타내게 하시는 하나님께 이제 감사하노라』(14절).

이 구절은 "승리에 관한 하나님의 위대한 약속"임과 동시에, "승리를 위한 절대적인 요건"을 보여 준다. 곧 "그리스도 안"에 있을 때 항상 승리할 수 있는 것인데, 이는 그리스도 안에 거하는 성도만이 갈보리 십자가에서 흘려진 "예수 그리스도의 보혈"의 능력을 힘입을 수 있기 때문이다.

『내 아들아, 그러므로 너는 그리스도 예수 안에 있는 은혜 가운데서 강건하라』(딤후 2:1). **『끝으로 나의 형제들아, 주 안에서와 그의 힘의 능력 안에서 강건하라**』(엡 6:10). 이것은 우리의 힘과 능력의 원천이 어디에 있는지를 보여 준다. 이처럼 "그리스도 예수 안"에만 있으면, 주변 상황과 관계없이 항상 승리를 얻을 수 있는 것이다.

2. 그리스도의 향기가 되라(14-16절)

1) **그리스도에 관한 지식의 향기를 나타내야 한다**(14절).

그리스도 안에서 승리하며 사는 성도에게는 "그리스도에 관한 지식의 향기"가 자연스럽게 풍긴다. 이 "향기"는 세상과 죄인들의 마음을 압도할 만큼 매우 강력하다. 진리의 지식은 세상을 압도하는 강력한 힘이 있다. 그 힘이 압도하는 곳에는 위대한 승리가 있고 위대한 변화와 간증이 나타난다. 그래서 그리스도인은 진리의 지식으로 무장해야 하는 것이다.

어떤 설교자가 복음과 진리의 지식을 증거함으로써 그리스도에 관한 지식의 향기를 나타내는 성도들에 대해 이렇게 말한 적이 있다. "그리스도의 일꾼들이 있는 곳에는 그 어디에라도 향기가 나기 마련이다. 그 "향기"가 향기 가까이에 있는 사람들에게 느껴지지 않는 것이 불가능한 것처럼, 그리스도인에게 향기가 나지 않는 것은 있을 수 없는 일이다. 향기가 공기 중에 퍼져 나가 사람들의 주의를 집중시키는 것처럼, 그리스도인은 그들을 둘러싼 환경을 본질적으로 변화시켜서 어떤 사람은 멀리 쫓아 버리는가 하면, 또 어떤 사람은 그 향기의 매력에 이끌리게 한다. 그리고 그 매력에 이끌리는 사람들은 자기도 모르는 사이에 내적인 변화를 경험하면서 예수 그리스도를 영접하게 된다."

2) **<u>하나님 앞에서 그리스도의 향기를 내야 한다</u>**(15,16절).

구약 시대에는 희생제물이 태워지면 그 향기를 하나님께서 맡으시고 그 제물을 받으셨다(창 8:21). **『그러나 그 수송아지의 고기와 그 가죽과 똥은 진영 밖에서 불사를지니 이것이 속죄제사니라』**(출 29:14). 진영 밖에서 고기와 가죽과 똥을 태우면, 그 냄새가 나는 쪽에 있는 사람들에게는 매우 "고약한 냄새"(악취)가 났다. 그러나 하나님께는 그것이 매우 향기로운 냄새로 받아들여졌다.

초림 당시에도 예수 그리스도께서 성문 밖에 있는 갈보리 십자가 제단 위에 자신의 몸을 희생제물로 드리셨을 때(히 13:12) 하나님께서는 "향기로운 냄새"를 맡으셨다(엡 5:2). 그래서 예수 그리스도를 구주로 믿는 성도 역시 진영 밖에 있는 주님께로 나아가(히 13:13) 자신의 "고기와 가죽"("육신," cf. 롬 7:18) 그리고 "똥"("배설물," cf. 빌 3:8)을 태워야 하는데, 그렇게 불태울 때 풍기는

냄새가 세상과 세상 사람들에게는 "지독한 악취"로 여겨질 것이지만, 하나님과 하나님의 사람들에게는 향기로운 냄새와 기쁨이 될 것이다. 곧 구원받은 사람들에게는 "생명의 향기"로, 세상의 구원받지 않은 멸망하는 사람들에게는 "사망의 향기"로 여겨지는 것이다(16절).

어떤 사람이 경매장에서 아주 값싼 토기 하나를 샀다. 그는 그 토기에 향수로 쓰이는 값비싼 "장미 기름"을 보관했다. 그 토기에는 오랫동안 향수가 들어 있었다. 그가 장미 기름을 모두 썼음에도 불구하고 토기 속의 향기는 조금도 사라지지 않았다. 왜냐하면 향기가 토기에 조금씩 스며들었기 때문이다. 어느 날 그 토기가 선반에서 떨어져 가루처럼 산산이 부서져 버렸다. 그러자 그 토기 조각에서는 더욱 짙은 장미 향기가 뿜어졌다. 그리스도인도 이와 마찬가지인데, 이 육신의 질그릇이 깨질 때 그리스도의 본연의 향기가 잘 발산될 수 있는 것이다. 베다니에 있는 문둥병자의 시몬의 집에서 예수님을 찾아온 한 여인이 매우 값진 감송 향유를 주님의 머리에 붓기 위해 옥합을 깨트린 적이 있었다. 이처럼 육신을 깨트리거나 죽이지 않고서는 예수 그리스도를 온전히 드러낼 수 없는 것이다.

『누가 이런 일들을 원만히 감당하겠느냐? 우리는 하나님의 말씀을 변개시킴으로써 *이익을 취하는* 여러 사람들과 같지 않고 오직 성실함으로써 또 하나님께로부터 난 자로서 하나님 앞에서와 그리스도 안에서 말하노라』(16,17절). 그리스도의 향기의 역할을 원만하게 감당할 수 있는 자격은 아무에게나 있는 것이 아니다. 어떤 식으로든지 하나님의 말씀을 변개시키지 말아야 하고, 성경을 변개시킴으로써 이익을 취하는 일이 없어야 하며, 항상 성실함으로써 또한 하나님께로부터 태어난 새로운 피조

물로서, 주 하나님 앞에서와 그리스도 안에서 정직하고 담대하게 말하고 진리를 실행할 수 있는 용기 있는 성도만이 그 역할을 감당할 수 있다. 이처럼 원만하게 감당할 수 없는 사람들이 함부로 감당하려 했다가는 괜한 사람들을 죽일 수 있는 "독"이 될 수 있다. "위험한 향기"가 될 수 있는 것이다!

■ 새롭게 깨달았거나 적용할 내용이 있다면 적어 보세요. ■

제2과
복습문제

1. 죄를 지은 성도에 대해서는 개인적으로든, 교회적으로든 성경적으로 책망하고 권면해야 하는데, 끝까지 교회의 권면을 듣지 않을 때는 징계하고 출회시켜야 한다. (O , X)

2. 한 번 출회한 성도는 어떤 상황에서도 용서하거나 받아 주어서는 안 된다. (O , X)

3. 『너희가 누구에게 무엇을 용서하면 나도 그리하고 만일 내가 무엇을 용서했다면 그것은 너희를 위하여 내가 (   )를 대신하여 용서한 것이라』(고후 2:10).

4. 『정녕 이 사람들에게는 사망에 이르는 (   )의 향기이나 저 사람들에게는 생명에 이르는 (   )의 향기라. 누가 이런 일들을 원만히 감당하겠느냐? 우리는 하나님의 말씀을 (   )시킴으로써 *이익을 취하는* 여러 사람들과 같지 않고 오직 성실함으로써 또 하나님께로부터 난 자로서 하나님 앞에서와 그리스도 안에서 말하노라』(고후 2:16,17).

■ 복습 문제의 정답은 홈페이지(www.solomonbtc.org)에서 확인할 수 있습니다.

NOTES

NOTES

NOTES

제3과

구약의 영광 대 신약의 영광(3장)

『또한 그분은 우리로 새 언약의 능력 있는 일꾼이 되게 하셨는데 이는 법문으로 한 것이 아니고 영으로 한 것이니 법문은 죽이고 영은 생명을 주기 때문이라』(고후 3:6).

살아 있는 예수 그리스도의 편지(1-5절)

하나님께서는 생명에 이르게 하려고 이스라엘 백성에게 계명을 주셨다(롬 7:10). 계명은 반드시 지키고 행할 것을 요구한다. 그래서 계명에 "~ 하지 말지니라."라고 되어 있으면, 계명대로 하지 말아야 살 수 있다. 반대로 "~ 할지니라."라고 되어 있으면, 계명대로 해야 살 수 있다. 하나님께서 주신 계명 중 하나라도 어기거나 하나라도 지켜 행하지 않으면, 그것은 죄를 짓는 것이 되고, 결국 그 당사자는 죄인이 된다. 죄의 삯은 사망이다(롬 6:23). 그렇기에 계명은 그것을 통해서는 의롭게 될 사람이 아무도 없다는 사실만을 알려 줄 뿐이다. 생명에 이르도록 주신 계명이 도리어 사망에 이르게 하는 것으로 판명된 것이다.

하지만 계명은 거룩하고 의로우며 선하다. 계명을 전하는 직분은 영광스러운 직분이었다. 그래서 계명을 받는 동안 모세의 얼굴은 하나님의 영광으로 빛이 났고, 백성들은 두려워서 그의 얼굴을 주목할 수 없었다. 그러나 하나님의 형상이신 예수님께서 나타나시어 그리스도의 영광스러운 복음의 광채를 비추심으로써 계명의 영광은 사라졌다. 새로운 법(생명의 성령의 법)을 선포하시고, 믿는 자들을 육신의 죄들의 몸으로부터 분리하셔서 죄와 사망의 법으로부터 우리를 자유롭게 하셨다. 이제 우리는 성령으로 새롭게 태어났으며, 그리스도와 한 영 안에서 하나가 되었고, 새 언약의 능력 있는 일꾼이 되었다.

한 사람이 맺는 열매는 그가 어떤 사람인지를 보여 준다(마 7:16). 복음을 전해서 죄인들을 예수 그리스도께로 이겨올 때, 그렇게 회심한 사람들은 그들에게 복음을 전한 복음 전도자가 어떤 사람인지 보여 준다. 또한 사역자가 하나님의 말씀으로 훈련하고 가르친 사람들은, 그 사역자가 어떤 종류의 사역자이고 또 어떤 종류의 교사인지 말해 준다. **따라서 고린도 교회의 성도들은 사도 바울이 어떤 사람인지를 말해 주는 일종의 "추천서" 같은 존재들이었다**.

이처럼 모든 그리스도인은 하나님께서 세상을 향해 쓰신 살아 있는 편지이다. 성령 하나님께서는 성경적인 설교자들을 통해 듣는 자들의 마음에 말씀들을 기록하신다. 그리고 그 말씀을 믿는 자들의 마음과 삶을 성령님의 길로 인도하시어 변화를 일으키시고 열매를 맺게 하신다. 그리스도인을 통해 하나님께서 쓰신 편지가 세상에 알려지고, 보이고, 읽히게 되는 것이다.

구약의 영광 대 신약의 영광(6-11절)

생명을 주는 능력은 하나님에게서 온다. 글은 글에 지나지 않고 책은 책에 불과하지만, 기록된 말씀이 하나님의 정직한 사람들에 의해 읽히고 전파되고 들려질 때, 성령 하나님께서 그 말씀에 생명을 불어넣으시어 전하는 사람과 듣는 사람 모두의 마음에 역사하신다.

『**죽음의 직분**』은 구약의 율법이다(7절). 모세가 손에 십계명을 들고 산에서 내려왔을 때 그 율법 때문에 3,000명이 죽었다. 율법은 죄를 깨닫게 해 주고, 그

죄에 대해 책임져야 한다는 사실을 알려 준다(롬 5:14; 7:12,13). 그래서 죄는 율법을 통해 죽음을 요구할 능력을 갖게 된다. 이 능력이 바로 "율법의 능력"이다. 율법은 우리의 죄에 대해 목숨을 내놓으라고 요구할 권리를 가지며, 우리는 죄가 있는 한 그 요구에 굴복하여 죽을 수밖에 없다. 사실 율법은 그것을 받는 사람들에게 영광이었다. 모세가 계명이 기록된 두 돌판을 가지고 내려왔을 때 하나님의 영광 때문에 그의 얼굴 피부에서 빛이 났고, 이로 인해 이스라엘 백성은 모세에게 가까이 가기를 두려워했다. 하지만 그 영광은 지속되지 않았다(출 34:29-35). 한편 하나님의 형상이신 예수 그리스도께서 이 땅에 오심으로써 하나님의 은혜와 진리의 충만하심이 온전히 드러났고 돌판에 새겨진 것들의 영광은 사라졌다. 이 시대에 그리스도인은 하나님의 그 충만하신 은혜 속에 살고 있다.

『그 말씀이 육신이 되어 우리 가운데 거하시므로, (우리가 그의 영광을 보니, 아버지의 독생자의 영광으로) 은혜와 진리가 충만하더라』(요 1:14).

"정죄"를 가져오는 것임에도 불구하고 돌판에 기록되고 새겨진 죽음의 직분이 영광스러웠다면, 『**의의 직분**』(9절)인 복음을 전하는 일은 그 영광이 얼마나 더하겠는가! 그래서 모세에게 계명이 주어졌을 때와는 반대로, 오순절에 성령께서 오셨을 때는 3,000명이 구원받았다(행 2:41). 십계명에서 "도덕적인" 내용은 지금도 여전히 그리스도인들의 삶을 위한 "지침서"가 되지만, "구원"에는 아무런 영향도 끼치지 못하게 되었다. "구원의 수단"으로서의 계명은 폐기된 것이다(롬 13:9, 골 2:16,17).

■ 새롭게 깨달았거나 적용할 내용이 있다면 적어 보세요. ■

이스라엘의 눈을 가린 수건(12-16절)

구약은 우리를 예수 그리스도께로 인도하는 지도 교사이다(갈 3:23-25). 그러나 유대인들은 예수 그리스도를 "민족적인 차원"에서 거부했기 때문에, 지도 교사의 "인도"를 받지 못하고 예수 그리스도를 올바로 보지 못하게 되었다. 빛을 거부하자 눈이 멀어 버린 것이다. 그들은 이사야 53장을 읽을 때 그것이 "이스라엘"에 관해 말한다고 생각하고, 시편 22편을 읽을 때는 그것이 다윗에 관해 이야기하고 있다고 생각한다.

『말씀하시기를 '이 백성에게 가서 말하되 너희가 듣기는 들어도 깨닫지 못할 것이요, 보기는 보아도 알지 못하리라 하라. 이 백성의 마음이 무디어지고, 그들의 귀는 듣는 데 둔하고, 그들은 자기들의 눈을 감았으니, 이는 눈으로 보지도 못하고 귀로 듣지도 못하며 마음으로 깨닫지도 못하고 회심하지도 못하게 되어 나로 그들을 치유하지 못하게 하려 함이라.'고 하셨느니라』(행 28:26,27). 『그러면 무엇이냐? 이스라엘이 구하는 그것을 얻지 못하였고 오히려 선택된 자들이 그것을 얻었으며 그 나머지는 오늘까지 완고해졌느니라. (기록된 바와 같으니 "하나님께서 그들에게 혼미한 영과 보지 못할 눈과 듣지 못할 귀를 주셨노라." 하였느니라.)』(롬 11:7,8).

"민족적인 차원"에서 이스라엘은 교회 시대 동안 눈멀어 있다. 빛을 거부한 이래로 오늘날까지 약 2천 년 동안 겪어야 했던 암울하고 비참한 역사의 원인이 바로 여기에 있는 것이다. 그러나 "개별적으로는" 자신의 마음을 주께로 돌이킬 수 있다(16절). 그런 사람에게는 구약 전체에 걸쳐 눈을 가리고 있던 "수건"이 벗겨지게 된다. 이스라엘 백성들의 눈을 가린 수건처럼 진리를 거부하는 자들의 마음은 더욱더 완악해질 뿐이다. 성경에서 죄를 정당화할 구실을 찾거나, 진리가 아닌 "이익"을 위해 정립해 놓은 교리들을 정당화하려고 성경을 찾는 자들에게 주님께서는 그들의 눈을 가리시어 빛을 보지 못하게 만드는 "완고한 마음"을 주시는 것이다(로마카톨릭, 그리스도의 교회, 은사주의, 여호와의 증인, 안식교, 칼빈주의 등).

『인자야, 이 사람들은 자기들의 마음속에 자기들의 우상들을 세워 놓고 그들의 얼굴 앞에 그들의 죄악의 방해물을 놓았으니 그들로 내게 조금이라도 묻게 하랴? 그러므로 그들에게 고하고 그들에게 말하라. 주 **하나님**이 이같이 말하노라. 자기 마음속에 자기 우상들을 세우고 자기 얼굴 앞에 자기 죄악의 방해물을 놓고 선지자에게 나오는 이스라엘 집의 각 사람에게 나 **주**가 그의 우상의 많음을 따라 나오는 그에게 응답하리니』(겔 14:3,4).

거듭난 그리스도인이 주님 안에서 성장할 수 있는 비결은 주님과의 "교제의 통로"를 얼마나 깨끗하게 유지하느냐에 달려 있다. 그리스도인이 주님을 첫째로 모시는 한, 주님께서도 그 성도에게 베풀고 또 베푸실 것이다. 자기 자신과 주님 사이에 그 어떤 방해물도 놓여 있어서는 안 되는 것이다.

주의 영이 주시는 특권(17,18절)

성령께서는 율법의 속박으로부터 그리스도인에게 자유를 주신다(갈 5:1-5). 이 자유는 우리가 주님 앞에서 우리를 정죄하는 율법과 관계없이 하나님의 법규를 따를 수 있는 자유이다. 자신의 몸과 의지를 주님께 드리면 성령께서는 그리스도인의 몸을 주관하시고 생애를 인도하시며 이끄신다. 그렇게 되면 그리스도인 안에 형성된 새 사람은 마음껏 그리스도를 위해 살게 되고, 어떤 종류의 속박도 없이 주 예수 그리스도만을 즐거워하게 된다.

거울이 그 앞에 서 있는 사람의 모습을 있는 그대로 보여 주듯이, 우리가 성경을 대할 때도 그 말씀은 우리의 내면이 어떠한지, 또 무엇으로 가득한지를 여과 없이 보여 준다. 그때 우리가 내보일 수 있는 반응은 두 가지뿐이다. 즉 하나님의 말씀이 보여 주시는 대로 문제점들을 바로잡든지, 아니면 "그 말씀을 무시하든지" 하는 것이다.

『그러나 너희는 말씀을 행하는 자가 되고, 단순히 듣기만 하는 자가 되어 자기 자신을 속이지 말라. 누구든지 말씀을 듣기만 하는 자가 되고 행하는 자가 되지 아니하면, 그는 거울로 자기의 타고난 얼굴을 보는 사람과 같으니』(약 1:22,23).

하나님의 말씀인 성경에 시간을 쏟으면, 그 말씀은 그 사람의 인격과 얼굴 등 모든 면에서 드러나기 시작한다. 물론 한두 번 정도로 변화가 갑작스럽게 나타나는 것은 아니다. 그러한 변화는 서서히 나타나는데, 성경을 대할 때마다 지속적인 상호 작용이 일어나서 성경에 있는 하나님의 영광이 우리를 스쳐 지나갈 때 우리 또한 그 영광스러운 형상으로 변모되기 시작한다. 그러나 아무리 많은 거울을 가지고 있다 하더라도 그것들을 들여다보지 않으면 아무 도움도 되지 않는다. 반드시 들여다보고 문제점들을 고쳐야 하는 것이다.

■ 새롭게 깨달았거나 적용할 내용이 있다면 적어 보세요. ■

제3과
복습문제

1. 고린도 교회는 사도 바울의 사역을 통해 맺게 된 열매이다. 복음을 전해 듣고 믿게 된 회심자들은 그들에게 복음을 전한 복음 전도자가 어떤 사람인지 말해 주고, 사역자의 수고로 성장한 사람들은 그 사역자의 섬김의 종류가 어떤 것인지 드러내듯이, 고린도 교회는 사도 바울이 어떤 사람인지를 보여주는 "추천서" 같은 존재들이었다. (O , X)

2. 『죽음의 직분』은 구약의 (   )이다. 모세가 손에 십계명을 들고 산에서 내려왔을 때 그 (   ) 때문에 3,000명이 죽었다. (   )은 죄와 그 죄에 대한 책임을 져야 한다는 사실을 알려 주는 역할을 한다(롬 5:14,20; 7:12,13). 죄는 우리에게 죽음을 요구할 능력을 갖는다. 이 능력이 바로 (   )의 능력이다. (   )은 우리의 죄에 대하여 목숨을 내놓으라고 요구할 권리를 가지며, 우리는 죄가 있는 한 그 요구에 굴복하여 죽을 수밖에 없다.

3. 성령 하나님께서는 율법의 속박으로부터 그리스도인에게 (   )를 주신다(갈 5:1-5). 그것은 우리가 주님 앞에서 우리를 정죄하는 율법과 관계없이 하나님의 법규를 따를 수 있는 (   )이다. 자신의 몸과 의지를 드리면 성령께서는 그리스도인의 몸을 주관하시고 생애를 인도하시며 이끄시는데, 그렇게 되면 그리스도인 안에 형성된 새 사람은 마음껏 그리스도를 위해 살게 되고, 어떤 종류의 속박도 없이 주 예수님만을 즐거워하게 된다.

4. 그리스도인에게 주신 영광스러운 의의 직분은 (　　　　　)을 전하는 일이다.

5. 민족적으로 예수 그리스도를 거부한 유대인들의 완고함은 여전히 구약을 통해 그리스도를 올바로 보지 못하게 하고 있으며, 지난 2천 년 동안 겪어야 했던 비참하고 암울한 역사의 원인이 되었다. 그러나 유대인이라 할지라도 개인적으로는 언제든지 그리스도께로 돌이킬 수 있다. (O , X)

■ 복습 문제의 정답은 홈페이지(www.solomonbtc.org)에서 확인할 수 있습니다.

■ 새롭게 깨달았거나 적용할 내용이 있다면 적어 보세요. ■

NOTES

NOTES

NOTES

제4과

그리스도인 사역자의 고난과 영광(4장)

『이는 우리가 잠시 받는 가벼운 환난이 우리를 위하여 훨씬 뛰어난 영원한 영광의 비중을 이루어 가기 때문이라』(고후 4:17).

고난과 영광

오늘날 교회들은 믿음이 모든 문제를 해결해 주기 때문에, 오직 믿음으로만 행하면 아무런 문제도 없을 것이라고 말한다. 즉 무조건 믿음으로 행하기만 하면 모두 건강하고 부유하고 현명해질 수 있다고 가르치는 것이다. 하지만 이것은 배교한 교회들의 사탄적인 가르침이다! 왜냐하면 그리스도인이 예수 그리스도를 성경대로 믿을 때 고난이 따라오기 때문이다. 오히려 고난은 그리스도인이 받는 일종의 특권이다.

우리의 믿음의 대상이신 예수 그리스도께서는 고난받는 일에 있어서 친히 우리의 본이 되셨다. 『**이를 위하여 너희가 부르심을 받았으니, 그리스도도 우리를 위하여 고난을 받으시고, 우리에게 한 본을 남겨 놓으시어, 너희로 그의 발자취를 따르게 하셨느니라. 그는 죄를 짓지도 아니하셨고 그의 입에는 간사함도 없으셨으며, 모욕을 당하셨으나 다시 모욕으로 갚지 아니하셨고, 고통을 당하셨으나 위협하지 아니하셨으며, 오직 의롭게 심판하시는 분께 자신을 의탁하셨느니라**』(벧전 2:21-23). 주님을 신실하게 따랐던 바울 역시 『**이는 내가 그를 알고 그의 부활의 능력과 그의 고난의 교제를 알아 그의 죽음의 본을 따르려 함이며**』(빌 3:10)라고 고백했다. 그 고백은 그가 주님을 따르는 길에서 받은 고난들이 얼마나 극심했는지를 짐작할 수 있게 해 준다.

그렇다면 그리스도인들은 주님을 따르는 길에서 고난만 당하고 아무런 영광도 보지 못한다는 말인가? 물론 아니다! 낙심하지 않고(갈 6:9), 연약함 가운데 역사하시는 예수 그리스도의 능력을 드러내며(고후 12:9,10), 그 능력을 힘입어서 달려갈 길을 기쁨으로 끝마치고(행 20:23,24), 맡겨 주신 일을 완수한 후(딤후 4:7) 주님 앞에 섰을 때, 우리는 이 땅에서 주를 위해 "잠시 받았던 가벼운 환난"이 그것보다 "훨씬 뛰어난 영원한 영광의 비중"을 이루었음을 보게 될 것이다(고후 4:17)

그리스도인이 받은 은혜의 직분(1-7절)

1. 하나님께서는 죄인에게 자비를 베풀기 원하신다.

죄인이 하나님께서 베푸시는 자비를 얻기 위해, 주님 앞에서 자신이 얼마나 훌륭한 사람인지 증명해 보일 필요는 없다. 오히려 주님 앞에 얼마나 더럽고 비열한 죄인인지를 인정하고, 자신은 구원받을 만한 가치가 전혀 없는 존재라는 사실을 정직하게 시인해야 한다. 하나님께서 베푸시는 자비는 어떤 "행위"에도 근거하고 있지 않으며, 오직 죄인들을 구원하시는 주님의 공로만 믿고 신뢰할 때 얻을 수 있다. 모든 그리스도인은 이렇게 해서 자비를 얻은 사람들이고, 또한 은혜의 직분을 받은 사람들이다.

2. 사역자는 성경을 부지런히 공부하는 사람이다.

마귀가 볼 때 성경을 알지 못하는 사람은 한낱 풋내기나 얼간이 정도로 보일 것이다. 그렇기에 부지런히 성경을 공부해야 한다. 때로는 광적으로 보일 만큼 성경 공부에 열심을 내야 하는 것이다. 성경이 "말씀하는 것"을 "돈을 버는 것"이나 먹는 "음식" 보다 더 중요하게 여겨야 한다.

3. 사역자는 또한 성실해야 하며 하나님과 회중 앞에서 숨기는 것이 없을 정도로 드러내 놓고 정직하게 행해야 한다.

하나님의 사역자는 꽉꽉 숨겨 놓아야만 하는 그런 "비밀"이 없어야 한다. 모든 것이 공명정대하고, 공개적이어야 하며, 카드에서 패를 감추듯이 어떤 것을 숨겨서는 안 된다. 사람들의 평판에 지나치게 예민해서도 안 된다. 또한 자신을 과장해서도 안 되며, 자신이 바라던 어떤 결과를 얻기 위해 미리 계산하고 조작된 발언을 해서도 안 된다. 로마서 12:17에서는 『**모든 사람 앞에서 정직한 일을 도모하라.**』라고 명령하고 있으며, 고린도후서 8:21에서는 『**주 앞에서 뿐만 아니라 사람들 앞에서도 정직한 일들을 하려 함이니라.**』라고 말씀한다. 한편 이와는 반대로 자신을 사역자로 내세우면서도 자신의 목적을 위해 말씀을 거짓되이 다루면서 수치스럽고 교활한 짓을 자행하는 사람들이 있다. 이런 자들은 말씀에 단어를 첨가하고 삭제하며 구절 전체를 제거하거나 대체함으로써, 마치 "실제로 그렇지 않은 것"을 사실인 것처럼 꾸며 내기도 한다.

예를 들어 보자. 거짓된 사역자들은 마가복음 16:16을 가지고 "믿고 침례를 받지 않는 자는 저주를 받을 것이다."라고 말하면서 그 말씀에 "침례"를 첨가한다. 베드로전서 3:21에 대해서는 "물은 우리를 구원한다."라고 말하면서 "모형이니"를 삭제해 버린다. 디모데전서 3:16을 가지고서는 "그는 육신으로 나타나셨고"라고 말하면서 "하나님"을 "그"로 대체한다. 아울러 요한복음 3:5에 대해서는 "물로 태어나지"라는 말씀이 "물 침례"를 의미한다고 주장하거나, 사도행전 2:4에 대해서는 모든 그리스도인이 "방언"을 말해야 한다고 주장한다.

4. 마귀는 폭력, 이기심, 야심, 쾌락이라는 원칙 위에서 믿지 않는 사람들을 중심으로 이 세상을 조직해 왔다(마 4:8,9, 요 12:31, 엡 2:2, 요일 2:15-17).

이러한 세상 제도는 군대와 공권력을 갖고 있어서 위압적이고 강압적이다. 때때로 외견상으로는 종교적이고 과학적이며 세련되고 품위 있게 보이기도 하지만, 그 속은 민족적이고 상업적인 경쟁과 야심으로 들끓고 있다. 실제로 어떤 위기에 처하면 오직 군사력으로만 그 위기를 모면하려 하고, 궁극적으로는 사탄의 원칙들에 의해 지배를 받는다. 따라서 그리스도인은 이 악한 현 세상(갈 1:4)에 있는 동안 "신중하고 의롭고 경건하게" 살아야 한다(딛 2:12). 만일 그리스도인이 이 세상에 순응하거나(롬 12:2) 세상에 대해 관심을 갖기 시작하면, 속사람은 질식해 버릴 것이고 그리스도인의 영적 삶에서 그 어떤 열매도 맺지 못할 것이다(막 4:19).

5. 마귀는 이 세상 신으로서 사람들의 눈을 가능한 한 많이 멀게 해서 예수 그리스도의 구원에 관한 지식을 보지 못하게 만들고 있다.

그래서 사역자들은 『**그들의 눈을 뜨게 하여 흑암에서 광명으로 사탄의 권세에서 하나님께로 돌아서게 하며 그들로 죄사함을 받게 하고 내 안에 있는 믿음**

으로 거룩하게 된 사람들 가운데서 유업을 받게 하려는 것이라.』(행 26:18)라는 말씀을 그들의 본연의 임무로 받아들여야 한다.

6. 그리스도인의 "빛"과 "보물"은 예수 그리스도이시다(요 1:1-9).

골로새서 1:27은 이 보물에 대해 『**하나님께서는 이들에게 이방인들 가운데서 이 신비의 영광의 풍요함이 어떠한지를 알리고자 하셨으니 이 신비는 너희 안에 계신 그리스도시요, 곧 영광의 소망이라.**』라고 설명하고 있다. 그리스도인은 그 안에 비추어 주신 예수 그리스도의 "빛"을 비추는 사람들이고, 그 안에 담아 주신 예수 그리스도의 "보물"을 자랑하는 사람들이다. 그리스도를 전파하는 법을 배우고 인생의 목표를 예수 그리스도를 전파하는 것에 두라! 예수 그리스도를 전파하는 데 모든 힘과 능력, 재능, 웅변술, 어휘력, 지식 등 자신이 사용할 수 있는 모든 것을 다 사용하도록 하라!

그리스도인 사역자의 고난(8-15절)

우리 그리스도인들은 고난을 당하고, 당혹스런 일을 당하고, 박해를 받고, 내던져질 수 있지만, 주님께서 우리 안에 계셔서 우리를 돌보시며 절대 떠나시지 않을 것이라고 약속하셨기에(히 13:5, 롬 8:35-39), 괴로워하지도, 절망하지도, 버림받지도, 멸망하지도 않는다.

그리스도인이 『**항상 주 예수의 죽으심을 몸에 지니고**』 있다는 것은 주님께서 그 사람 안에 계시고 그 사람은 주님 안에 있다는 교리적인 위치를 설명한다. 로마서 6:8에서는 우리가 『**그리스도와 함께 죽었**』다고 말씀하시고, 갈라디아서 2:20에서는 『**내가 그리스도와 함께 십자가에 못박혀 있으나 그럼에도 나는 살아 있노라.**』라고 말씀하신다. 이것은 그리스도인이 고난과 반대와 박해 속에서도 인내로 견딜 수 있고, 예수 그리스도를 전파하며 하나님을 찬양할 수 있는 이유를 설명해 준다.

그리스도인의 생애에서 높아지는 방법은 낮아지는 것이고, 주인이 되는 방법은 섬기는 것이며, 그리스도를 위해 승리의 삶을 사는 방법은 "자아에 대해 죽는 것"이다. 사도 바울이 고린도후서 4:8-10의 그 모든 고난을 겪은 것은 고린도 교회 성도들의 유익을 위해서였다. 바울이 그의 생애에서 주님을 위해 받은 고난들은 그의 육신을 절망에까지 몰아갔으나, 그 안에서 강력하게 역사하시는 그리스도의 능력이 그의 회심자들과 다른 그리스도인들에게는 축복이 되었던 것이다(15절, 빌 1:23,24). 다시 말해 고난이 "겉 사람"에게는 죽음으로 역사했지만, "속 사람" 안에서는 생명으로 역사한 것이다.

자기 아들을 무덤에서 일으키신 주님께서는 얼마 후면 "우리"도 일으키실 것이다. 이와 마찬가지로 "우리가" 주님께로 인도한 이들도 일으키실 것이다. 하늘나라에 도착하면, 우리는 모두 우리가 회심시킨 "회심자들"을 보게 될 것이다. 예수 그리스도께서는 우리 모두를 하나님의 보좌 앞으로 데려가실 것이고, 아버지 하나님께 우리를 나타내시면서 면류관을 주실 것이다. "자랑의 면류관" 말이다. 사도 바울은 데살로니가전서 2:19에서 그의 회심자들을 "자랑의 면류관"이라고 말했다.

■ 새롭게 깨달았거나 적용할 내용이 있다면 적어 보세요. ■

그리스도인 사역자의 자랑(16-18절)

열역학 제2법칙의 지배를 받는 우리의 몸은 시간이 갈수록 쇠잔해지고 노쇠해지며 약해진다. 하지만 거듭난 그리스도인 안에 있는 "새 사람"은 매일 성경을 읽고 기도함으로써 "영원하시고 전능하신" 성령 하나님에 의해 날마다 새로워질 수 있다. 성도가 날마다 새로워지는 일은 주님과 교제할 때만 "실제적인 일"이 될 수 있다.

사도 바울이 고린도후서 4장에서 기술한 그 모든 고난은 『**잠시 받는 가벼운 환난**』으로 불린다. 인생의 시련들이 우리를 내리눌러서 더는 한 발짝도 내디딜 수 없다고 여겨지고, 도무지 끝날 것 같지 않아 보이는 고난들이 사방에서 밀어닥쳐도 성경은 그러한 것들을 『**잠시 받는 가벼운 환난**』이라고 말씀하신다. 『**잠시 받는 가벼운 환난**』의 목적은 『**우리를 위하여 훨씬 뛰어난 영원한 영광의 비중을 이루어**』 가는 데 있다. 말하자면 현재 이 땅에서 주님을 위해 수고하며 흘린 피와 땀과 눈물은 저 영원에서 금과 은과 보석들의 무게로 측정되는 것이다. 이 지상에서 일어나는 가장 끔찍한 비극은, 남자든 여자든 "영원히" 지속될 것을 위해 아무것도 해 놓지 않고 살다가 죽는 일이다.

구원받은 그리스도인들은 눈에 보이지 않는 것들을 믿음으로 바라보면서 사는 사람들이다. 이와 관련하여 고린도후서 4:18에서는 『**보이지 않는 것들은 영원하기 때문이라.**』라고 말씀하신다. 특히 그리스도인들에게는 "그리스도의 심판석"(고후 5:10)이 기다리고 있다. 그리스도의 심판석에서 주님을 만날 준비를 하면서 신실하게 하루하루를 살아가는 성도가 현명한 성도인 것이다.

제4과
복습문제

1. 사역자는 성경을 부지런히 ( )하는 사람이다. 성경을 알지 못하면 마귀가 그 사람을 풋내기요 얼간이로 볼 것이다. 그렇게 보이지 않기 위해서는 성경을 ( )하는 것에 부지런해야 하고, 광적이어야 하며, 열심을 내야 한다. 그리고 성경이 "말씀하는 것"을 "돈을 버는 것"이나 먹는 "음식"보다 더 중요하게 여겨야 한다.

2. 로마서 12:17에서는 사역자들을 향해 『모든 사람 앞에서 ( ) 일을 도모하라.』라고 명령하고 있으며, 고린도후서 8:21에서는 『주 앞에서뿐만 아니라 사람들 앞에서도 ( ) 일들을 하려 함이니라.』라고 말씀한다.

3. 자신의 목적을 위하여 말씀을 거짓되이 다루는 일은 수치스럽고 교활한 짓이다. 이런 짓을 하는 자들은 말씀에 단어를 첨가하고, 삭제하며, 구절 전체를 제거하거나 대체하여 "실제로 그렇지 않은 것"을 사실인 것처럼 거짓말함으로써 사람들로 하여금 자기들을 따르게 하고 있다. (O , X)

4. 우리 그리스도인들이 극심한 고난과 반대와 박해 가운데서도 그리스도를 전파하고 하나님을 찬양할 수 있는 이유는, 주님께서 우리 안에 계셔서 우리를 돌보고 계시기 때문이다. 고난을 인내로 견디는 것은, 이 땅에서 복을 받고 번성하기 위한 목적이다. (O , X)

5. 구원받은 그리스도인들은 보이지 않는 것들을 바라보며 사는 사람들이다. 고린도후서 4:18에서는 『보이지 않는 것들은 영원하기 때문이라.』라고 말씀하신다. 그리스도인들에게는 "(   )"이 기다리고 있다(고후 5:10). (   )에서 주님을 만날 준비를 하면서 신실하게 하루하루를 살아가는 성도가 현명한 성도이다.

■ 복습 문제의 정답은 홈페이지(www.solomonbtc.org)에서 확인할 수 있습니다.

■ 새롭게 깨달았거나 적용할 내용이 있다면 적어 보세요. ■

NOTES

NOTES

제5과
그리스도를 위해 수고하는 이유(5장)

『이 때문에 우리가 애쓰는 것은 거하든지 떠나 있든지 그분을 기쁘시게 해 드리기를 바라는 것이라』(고후 5:9).

두 가지 다른 장막들(1-4절)

『우리가 아는 것은 만일 땅에 있는 우리의 장막 집이 무너지면 하나님께서 지으신 큰 집, 즉 손으로 짓지 아니한 하늘들에 있는 영원한 집이 있다는 것이라. 정녕 우리가 여기에서 신음하며 하늘에서 오는 우리의 집으로 옷입게 되기를 간절히 바라나 만일 우리가 옷입고 있다면 벗은 채로 발견되지 아니하리라. 이 장막 집에 있는 우리가 짐을 지고 신음하는 것은 벗으려는 것이 아니라 옷입혀지고자 함이니 이는 죽을 것이 생명에 의해서 삼켜지는 것이라』(1-4절).

사도 바울이 언급한 『장막』은 "성도의 몸"이다(벧후 1:13). 사람이 세운 장막이 무너지듯이 성도의 몸 또한 무너지게 되어 있다. 즉 "죽는" 것이다. 우리의 몸은 진흙으로 지어진(창 2:7) "흙집"이기 때문에 "짐을 지고 신음하다가"(고후 5:4) 언젠가 수명을 다하게 된다. **하지만 우리에게는 『하나님께서 지으신 큰 집, 즉 손으로 짓지 아니한 하늘들에 있는 영원한 집』이 있으므로 소망이 있다. 우리의 혼은 이 "진흙집"에서 빠져나와 영원한 "새집"으로 들어가는 것이다**. 영원한 새집으로 들어가는 일은 "장막 집이 무너지자마자"(즉 죽자마자) 즉시 일어나며, 그 새집 안으로 들어가서 주님과 함께 있는 일은 이 진흙집 속에서 신음하며 사는 것보다 더 바랄만하다(고후 5:8, 빌 1:23).

하지만 주의해야 할 점은, 고린도후서 5:1에서 언급하는 영원한 집은 성도가 휴거될 때 입게 될 부활의 몸이 아니라는 사실이다. 그리스도인이 현재 입고 있는 장막 집은 그의 죽음으로 인해 언제든지 무너질 수 있는데, 죽음 이후에는 그가 임시로 새집을 입고 셋째 하늘에서 몸의 부활을 기다리게 될 것이다. **다시 말해 현재 셋째 하늘의 낙원에 가 있는 신약 성도들은 모두 "죽음과 부활 사이**

에서" 과도기적인 어떤 몸을 입고 있는 것이다. **하나님께서는 죽음과 부활 사이에서 성도들을 "덮어씌울 어떤 것"을 갖고 계신 것이며**, 먼저 잠든 신약 성도들은 그 집에 들어가 있다가 교회의 휴거 때가 되면 비로소 부활의 몸을 갖게 될 것이다(고전 15:53). 하나님께서는 그리스도 안에서 잠든 성도들을 그리스도와 함께 데려오셔서 그 성도들을 먼저 부활의 몸으로 변화되게 하실 것인데(살전 4:14-17), 바로 그 순간까지 셋째 하늘에서 입고 있을 "임시적인 집"이 본문 1절에서 언급하고 있는 **『하나님께서 지으신 큰 집, 즉 손으로 짓지 아니한 하늘들에 있는 영원한 집』**인 것이다.

『만일 우리가 옷입고 있다면 벗은 채로 발견되지 아니하리라.』(3절)라는 말씀은 그리스도인이 벗은 채로 발견될 수 있다는 점을 암시해 준다. 예수 그리스도께서는 라오디케아인들의 교회 시대의 그리스도인들에게 『**흰 옷**』을 사서 그들의 벌거벗은 수치를 덮으라고 명령하셨다(계 3:18). 요한계시록 16:15에서도 『**자기 옷을 지켜서 벗은 채로 다니지 아니하고, 사람들에게 자기 수치를 보이지 않는 자는 복이 있도다.**』라고 말씀하시며, 19:8에서는 『**세마포는 성도들의 의라.**』라고 말씀하신다. 이것은 우리가 구원받을 때 받았던 "하나님의 의"가 아니다. 이것은 "성도 자신의 의"로서 구원받은 이후에 "올바른 섬김을 통해 갖게 되는 의"다.

한편 이러한 의는 그리스도인들이 하늘나라에서 얻을 "영적인 몸"에 걸칠 자신의 옷이 될 것인데, 그 옷은 현재 지상에서 섬기는 일들을 통해 한 올 한 올 짜여 가고 있다. 주님께서 우리에게 선한 일들에 유념하여 진력하라고 하신 데에는 다 이유가 있는 것이다(딛 3:8). "저 영원에서 입게 될 옷이 얼마나 좋은 옷인가 그렇지 않은 옷인가"에 대한 여부는, 성도 각자가 "이 지상에서 자기 몸으로 어떻게 섬겼는가"에 달려 있다는 사실을 반드시 유념해야 한다.

영원한 집에 관한 성령의 보증(5-8절)

『이제 이것을 위해 우리를 만드신 분은 하나님이시며 그분께서는 또한 우리에게 성령의 보증을 주셨느니라. 그러므로 우리는 몸에 있는 집에 거할 때 주로부터 멀리 떨어져 있다는 것을 알면서도 항상 자신에 차 있으니 (이는 우리가 믿음으로 행하고 보는 것으로 하지 아니함이라.) 우리가 자신에 차 있으니 정녕 몸에서 떠나 주와 함께 있는 것을 오히려 더 원하노라』(5-8절).

구원받은 성도가 "영원한 집"을 입게 될 날을 간절히 바라는 것은(2절), 그때가 되면 머릿속에 떠오르는 것에 대해 전혀 걱정할 필요가 없게 되기 때문이다. 그때에는 생각하고 말하고 행동하는 모든 것이 옳고, 그 누구도 우리를 정죄할 수 없게 된다. 마침내 세상과 육신과 마귀가 더 이상 우리와 주님의 관계를 해치거나 그것에 영향을 줄 수 없는 것이다.

그리스도인이 미래에 입게 될 "새집"을 이루신 분은 하나님이시다. 하나님께서 하신 일은 영원하기에 그 몸에 관한 그리스도인의 운명 또한 확정되어 있다. **사도 바울은 이 점을 "성령의 보증"이라고 표현한다(5절). 우리 안에 내주하시는 성령님께서 장차 우리가 경험하게 될 몸의 변화에 보증이 되시는 것이다**. 성령님께서는 몸의 구속과 관련된 모든 일에 관하여 우리를 인치셨고 친히 보증이 되어 주셨다. 『**그분은 또한 우리를 인치시고 우리 마음속에 성령의 보증을 주셨느니라**』(고후 1:22). 『**하나님의 거룩한 영을 슬프게 하지 말라. 너희가 그로 인해 구속의 날까지 인치심을 받았느니라**』(엡 4:30). 하나님께서 현재와 미래에 있어서 그분의 위대한 일들을 완수하실 것이라는 증거가 바로 우리 안에 영원히 내주하시는 성령님이신 것이다. 『**우리가 이것을 확신하노니 너희**

안에서 선한 일을 시작하신 그분께서 예수 그리스도의 날까지 그 일을 완성하시리라』(빌 1:6). **내주하시는 성령님의 보증은 구원의 영원한 보장에 관한 핵심적인 진리가 된다.**

그리스도인이 성령의 보증을 통해 갖는 자신감은, 비록 지금은 주님과 물리적으로 멀리 떨어져 있어도 어느 한 날 우리의 혼이 몸에서 떠나면 주님과 영원히 함께 있게 될 것이라는 데에 있다(고후 5:6,8, cf. 살전 4:17). 영적으로는 주님과 한 영이지만(고전 6:17, 엡 5:30) 물리적으로는 그렇지 않기에, 주님과 위치적으로도 함께 있기 위해서는 혼이 몸을 떠나 주님께로 가야 한다. 우리가 이 일을 확신할 수 있는 것은 우리 안에 계신 성령님께서 우리의 영에게 말씀해 주시기 때문이다. 그리스도인이 자기가 죽으면 어디로 갈 것인지를 알 수 있는 것은 그 안에 계신 성령님께서 그에게 말씀해 주시기 때문인 것이다. 영이 거듭나지 않은 자들에게는 이런 일이 일어나지 않는다(고후 13:5). 우리 그리스도인들은 믿음으로 행하고 보는 것으로 하지 않기 때문에, 이 모든 영적 진리를 오직 믿음으로 확신할 수 있다(cf. 요 20:29, 벧전 1:8).

본문 8절은 우리가 취할 수 있는 최상의 선택이 주님과 함께 있는 것임을 보여 준다. **『우리가 자신에 차 있으니 정녕 몸에서 떠나 주와 함께 있는 것을 오히려 더 원하노라』**(8절). **어떤 면에서는 어서 죽기를 바라는 것인데, 주님과 영원히 함께 있으려 하는 이 "영적 자살 성향"은 바울과 같은 신실한 그리스도인들에게는 너무나 자연스러운 성향이다.** 모든 것이 엉망이 되어 버린 이 세상을 죽음을 통해 떠남으로써 속히 주님과 함께하고 싶어 하는 것이다. 바울은 그 일을 지상에 머무는 것보다 "훨씬 좋다고" 했다(빌 1:23). 그래서 **『이는 내게 사는 것이 그리스도니 죽는 것도 유익함이라.』**(21절)라고 한 것이다. 만일 거듭나지 않았다면, 그 누구도 이와 같은 말을 입 밖에 꺼낼 수도 없고, 또 꺼내서도 안 된다.

그리스도를 위해 수고하는 이유(9-11절)

『이 때문에 우리가 애쓰는 것은 거하든지 떠나 있든지 그분을 기쁘시게 해 드리기를 바라는 것이라. 이는 우리 모두가 반드시 그리스도의 심판석 앞에 나아가서 선이든지 악이든지 각자 자기가 행한 것에 따라, 자기 몸으로 행한 것들을 받을 것이기 때문이라. 그러므로 우리가 주의 두려우심을 알기 때문에 사람들에게 권유하노라. 그러나 우리가 하나님께 나타내어졌으며 나는 또 너희 양심에도 나타내어졌으리라고 믿노라』(9-11절).

그리스도인은 예수 그리스도를 기쁘시게 해 드리려고 애를 쓰는 사람이다. 왜냐하면 자기가 죽으면 어디로 갈 것인지를 알고 있고, 자기가 반드시 그리스도의 심판석 앞에 나아가서 심판받는다는 사실을 알고 있기 때문이다. 아는 것을 실행에 옮기는 것이 참된 믿음이다(약 2:17,26; 4:17). 그리스도인은 자기가 어디로 가고 있는지를 알 뿐만 아니라, 그곳에 가고 싶어 하고, 또한 그곳에 도착하면 무슨 일이 있을지를 알기 때문에 그에 대비하며 살게 된다.

자신이 장차 그리스도의 심판석에 설 것을 믿고 있는 성도는 지상 삶을 육신을 위해 살지 않는다. 바울의 권면은 **『오직 주 예수 그리스도로 옷입고 정욕을 채우려고 육신을 위해 계획하지 말라.』**(롬 13:14)라는 것이었고, 오직 주님만을 기쁘시게 해 드리려고 애쓰라는 것이었다(고후 5:9). **그리스도의 심판석에서 『잘하였다. 착한 종아.』(눅 19:17)라는 말씀을 듣기 위해서는 이곳 지상에 사는 동안 그리스도인으로서 『항상 주의 일을 넘치게』 해야 하는 것이다 (고전 15:58)**.

"그리스도의 심판석"은 모든 그리스도인이 자기 몸으로 행한 것들에 관해 심판을 받는 자리가 될 것이다. 이것은 천년왕국 끝에 있을 "큰 백보좌 심판"(계 20장)이 아니라, 교회가 휴거된 이후 셋째 하늘에서 있을 그리스도인들에 대한 심판이다(고전 3:11-15). 여기서 제외되는 그리스도인은 단 한 사람도 없다. **이 심판은 그리스도인이 거듭난 뒤 자신의 구주를 위해 살았던 섬김의 삶을 다루는데, 순전히 『각자 자기가 행한 것에 따라, 자기 몸으로 행한 것들을 받을 것』이다(고후 5:10)**. 어떤 그리스도인이 그의 몸으로 행한 것이 선하다면, 시험의 불로 태워 보았을 때 금, 은, 보석으로 드러날 것이고, 그는 상과 면류관을 받게 될 것이다. 하지만 그의 섬김이 육신의 죽은 행실에서(히 9:14) 비롯된 악한 것이라면, 그것은 나무와 짚과 그루터기가 되어 불타 버릴 것이고, 결국 그는 손해를 당하여 구원만 간신히 받게 될 것이다(고전 3:15).

사도 바울은 그리스도의 심판석과 관련하여 『**주의 두려우심**』이라는 표현을 쓰고 있다. 『**그러므로 우리가 주의 두려우심을 알기 때문에 사람들에게 권유하노라**』(11절). 『주의 두려우심』은, 구원받지 못한 죄인들에게 지옥에 대해 경고하는 것이 아니고, 그리스도의 심판석에 서게 될 그리스도인들에게 똑바로 살라고 경고하는 내용이다. 왜냐하면 그리스도의 심판석은 심판자이신 예수 그리스도를 대하는 매우 두려운 자리가 될 것이기 때문이다. 바울은 디모데후서 1:16에서 오네시포로를 위해 기도했는데, 그 내용은 로마에 투옥되었던 자신을 도와준 오네시포로에게 하나님께서 자비를 베푸시기를 바라는 것이었다. 『**그 날에 주께서 그로 하여금 주의 자비를 얻게 하시기를 원하노라**』(딤후 1:18). 이것은 그리스도의 심판석에서 그리스도께서 오네시포로를 선대해 주시기를 바라는 내용이다. 오네시포로가 행한 선행을 기억해 주시어 심판에 있어서 자비를 내려 주실 것을 바란 것인데, 이처럼 그리스도의 심판석은 자비가 필요할 정도로 두려운 자리이다. 그렇기에 바울은 모든 그리스도인에게 지상에서 똑바로 살라고 권고하는 것이다.

그리스도 안의 "새로운 피조물"(12-17절)

『그러므로 우리가 이제부터는 아무도 육신을 따라 알지 아니하노라. 비록 우리가 육신을 따라 그리스도를 알았다 해도 이제는 더 이상 그분을 그렇게 알지 아니하노라. 그러므로 누구든지 그리스도 안에 있으면 새로운 피조물이라. 옛 것들은 지나갔으니, 보라, 모든 것이 새롭게 되었도다』(16,17절).

12-17절에서 바울은 자신과 일행에 관하여 육신적으로 험담을 하고 다니는 자들을 다루기 시작한다. 앞선 11절에서 어조를 바꾼 바울은 고린도 교회의 성도들의 양심에 비춰 볼 때도 바울과 바울 자신의 일행은 올바른 사역자들임이 분명하다고 말한다. 이 점은 하나님 앞에서도 떳떳하다는 것이다.

『그러므로 우리가 주의 두려우심을 알기 때문에 사람들에게 권유하노라. 그러나 우리가 하나님께 나타내어졌으며, 나는 또 너희 양심에도 나타내어졌으리라고 믿노라』(11절).

"올바른 사역자로서의 바울"은 고린도 교회에 다시 추천할 필요도 없는 사람이었으며, 오히려 고린도 교회의 성도들이 그 대신 자랑해 줌으로써 마음이 아닌 외모로 바울을 판단하는 자들의 입을 막아 버려야 했다(12절). 심지어 바울은 그런 자들이 바울과 그의 일행을 미쳤다고 한다면 그 미침은 하나님을 위한 것이며 정신이 온전하여도 고린도 교회의 성도들을 위한 것이라고 말한다(13절). **고린도 교회에는 사도 바울을 그의 약한 외모와 언변으로 판단하여 그의 사도됨을 무시한 자들이 있었는데(고후 10:10), 바울은 자기 같은 사람이 부르심을 받**

아 섬기는 것은 십자가에서 나타내신 하나님의 사랑이 그를 강권하기 때문이라고 말하면서 그들에게 일침을 가했다.

『그리스도의 사랑이 우리를 강권하시느니라. 이는 한 사람이 모든 사람을 위하여 죽으면 모든 사람이 죽은 것이라고 우리가 판단하기 때문이라. 그가 모든 사람을 위하여 죽으신 것은 산 자들이 이제부터는 더 이상 자신들을 위하여 살지 않고 자기들을 위하여 죽었다가 다시 살아나신 그분을 위하여 살게 하려는 것이라』(14,15절).

사람의 외모를 가지고 섬김의 자격을 판단하는 것은 심히 어리석은 일이다. **예수 그리스도의 죽으심으로 구원받게 된 사람은 그가 누가 되었든지 간에 헌신해서 예수 그리스도를 위해 살아야 한다는 것이 바울의 주장인 것이다.** 이처럼 십자가의 대속은 하나님의 사랑과 매우 밀접한 관련이 있다. 우리는 하나님의 사랑이 없는 십자가를 생각할 수 없다. **그 사랑에 감격한 성도가 사랑에 의해 내몰려 예수 그리스도를 섬기고자 한다면, 그의 외모와 관계없이 그 일은 하나님과 성도들에게 받아들여지게 된다. 따라서 하나님을 섬기고자 하는 성도들을 대할 때의 기준은 그들이 "모든 것이 새롭게 된 새로운 피조물"이라는 점에 근거해야 한다(17절).** 우리가 예수 그리스도를 더 이상 육신을 따라 알지 않듯이(16절), 그분을 믿고 거듭난 성도 또한 육신을 따라 알아서는 안 된다. 예수님을 목수의 아들이나 사생아가 아닌 육신으로 나타나신 하나님과 구주로 알고 있듯이, 그분을 믿고 거듭난 성도들 또한 그의 직업, 학력, 가문 따위로 알지 않고 구주 예수 그리스도를 믿고 거듭나 모든 것이 새롭게 된 새로운 피조물로 알고 교제하면서 그의 헌신을 인정해야 하는 것이다.

새로운 피조물이 되었다는 것은, 거듭나기 전에 좋아했던 육신적인 것들을 미워하고 전에 좋아하지 않았던 말씀과 기도, 예배, 찬양, 복음 전파, 성도들과

의 교제를 즐거워하게 되었다는 것을 의미한다. 즉 "새로운 영적 성품"이 그 안에 형성된 존재가 바로 "새로운 피조물"인 것이다. 또한 이것은 새로운 피조물인 "그리스도인"의 교제가 『**아무도 육신을 따라 알지 아니하**』는(16절) 것이어야 함을 의미하는데, 그리스도인의 교제는 그 본질이 육신적이어서는 안 되는 것이다. 서로 만나 먹고 마시며 잡담을 나눌 수 있지만, 그것이 진정한 그리스도인의 교제가 될 수는 없다. 왜냐하면 그리스도인의 교제의 중심에는 늘 "예수 그리스도"와 그분에 관한 "말씀"이 있어야 하기 때문이다(요일 1:3,4).

예수 그리스도께서 모든 사람을 위해 죽으셨다는 사실은(14,15절) 존 칼빈의 "제한된 속죄"의 교리를 반박한다. 그리스도께서 창세전에 선택된 자들만을 위해 죽으셨다는 교리는 터무니없는 헛소리인 것이다. 왜냐하면 그리스도께서는 그분을 영접하는 자들은 물론, 그분을 거부하는 죄인들을(벧후 2:1) 위해서도 죽으셨기 때문이다! 『**그는 우리의 죄들을 위한 화목제물이시니, 우리뿐만 아니라 온 세상의 죄들을 위한 것이니라**』(요일 2:2). 『**주의 약속은 어떤 사람들이 더디다고 생각하는 것같이 더딘 것이 아니라 오직 우리에 대하여 오래 참으시어 아무도 멸망하지 않고 다 회개에 이르게 하려 하심이라**』(벧후 3:9).

화해와 속죄(18-21절)

사도 바울은 새로운 피조물인 그리스도인의 헌신이 외모와 관계없이 받아들여져야 함을 역설한 뒤 "화해"에 관해 말하기 시작한다. 이 화해는 하나님께서 스스로 죄인과 화해하신 것을 뜻하는데, 주님께서는 그렇게 하나님과 화해하게 된 성도들에게 "화해의 직분"을 주셔서 세상과 하나님의 화해를 위해 복음을 전파하게 하셨다.

> 『모든 것이 하나님께로부터 났으며 그분께서는 예수 그리스도를 통하여 스스로 우리와 화해하셨고 화해의 직분을 우리에게 주셨으니 즉 하나님께서 그리스도 안에 계셔서 세상을 자신과 화해하게 하시며 그들의 죄과를 그들에게 돌리지 아니하시고 우리에게 화해의 말씀을 맡겨 주신 것이라. 그러므로 이제 우리는 그리스도를 대신한 대사들로서 하나님께서 우리를 통하여 너희를 권면하신 것같이 우리도 그리스도를 대신하여 너희에게 간구하노니 너희는 하나님과 화해하라. 하나님께서 죄를 알지도 못하는 그를 우리를 위하여 죄로 삼으신 것은 우리로 하여금 그 안에서 하나님의 의가 되게 하려 하심이라』(18-20절).

여기서 바울의 논지는 세상과 하나님 사이의 화해에서 벗어나 "고린도 교회"를 향하고 있다. 고린도 교회를 향해 『**너희는 하나님과 화해하라.**』(20절)라고 말하고 있는 것이다. 그런데 이것은 단순한 교제 회복을 위한 죄의 자백을 권고하는 것이 아니다(요일 1:8,9). **오히려 세상과 하나님의 화해라는(18,19절) 문맥을 고려할 때, 그것은 분명 고린도 교회 내의 "구원받지 않은 자들"을 향한 신랄한 책망이요, 구원으로의 초청인 것이다**. 이 점은 곧바로 이어지는 다음 장의 첫 두 구절을 보아도 분명해진다. 『**이제 우리는 그와 함께 일하는 자들로서 너희에게 권고하노니 너희는 하나님의 은혜를 헛되이 받지 말라. (말씀하시기를 "기뻐 받아들여진 때에 내가 네 말을 들었고 구원의 날에 너를 도왔도다." 하였으니, 보라, 지금이 기뻐 받아들여진 때요, 보라, 지금이 구원의 날이라.)**』(고후 6:1,2). **고린도 교회 내에서 바울의 외모를 비난하며 자신의 육신을 자랑하던 자들은 바울이 볼 때 거듭나지 않은 자들이었다**. 그래서 그들을 향해 "이 죄인들아, 교회에서 그만 문제를 일으키고 구원을 받으라!"라고 했던 것이다.

거듭나지 않은 자들이 지역 교회 안으로 몰래 숨어 들어와 성도인 척하면서 육신적인 문제를 일으키곤 하는데, 이 점은 예나 지금이나 마찬가지이며, 그들은 모두 하나님과 화해해야 할 죄인들에 불과하다.

『하나님께서 죄를 알지도 못하는 그를 우리를 위하여 죄로 삼으신 것은 우리로 하여금 그 안에서 하나님의 의가 되게 하려 하심이라』(21절). 이 구절은 하나님께서 죄를 알지도 못하는 그리스도를 우리를 위하여 "죄"로 삼으신 것은, 우리로 하여금 그분 안에서 하나님의 의가 되게 하려 하심이라고 말씀한다. 그리스도께서는 십자가에서 너무나 밀접하게 "죄"와 동일시되셨기에, 자신을 사탄, 곧 "장대 위의 뱀"으로 비유하셨다(요 3:14). 다시 말해 예수님께서 십자가에서 "죄"가 되셨고 "저주"가 되셨고(갈 3:13) "뱀"이 되셨기에, 하나님의 진노가 장차 사탄에게 부어지는 것처럼 그분 위에 부어졌다. 이처럼 예수님께서 세상의 기초가 놓인 이래로 범해진 모든 죄에 대해 십자가에서 그 값을 지불하셨고 친히 하나님의 진노의 잔을 마시셨기 때문에(요 18:11), 그 사실을 믿는 성도에게는 더 이상 마실 진노의 잔이 없는 것이다!

■ 새롭게 깨달았거나 적용할 내용이 있다면 적어 보세요. ■

제5과
복습문제

1. 『우리가 아는 것은 만일 땅에 있는 우리의 장막 집이 무너지면』(고후 5:1) 이라는 말씀에서 장막 집은 성도의 (집 , 몸)이다.

2. 우리 안에 내주하시는 (   )께서는 장차 우리가 경험하게 될 몸의 변화에 있어서 보증이 되신다.

3. 그리스도인이 예수 그리스도를 기쁘시게 해 드리려고 애를 쓰는 것은 그가 반드시 (   )에 서게 될 것이기 때문이다.

4. 사도 바울이 그리스도의 심판석에서의 공포와 관련하여 사용하고 있는 표현은 『주의 (   )』(고후 5:11)이다.

5. 예수 그리스도 한 분의 죽으심을 통해 구원받게 된 사람은 누구나 그의 외모와 관계없이 헌신할 수 있다. (O , X)

6. 고린도 교회 안에서 육신을 자랑하며 문제를 일으킨 자들은 본질적으로 하나님과 (   )하지 않은 죄인들이었다.

■ 복습 문제의 정답은 홈페이지(www.solomonbtc.org)에서 확인할 수 있습니다.

NOTES

NOTES

NOTES

제6과

하나님의 일꾼임을 보여 주는 증거들(6장)

『이 직분이 비난받지 않게 하려고 어떤 일에도 거침이 되지 않게 하였고 오히려 모든 일에서 우리 스스로가 하나님의 일꾼들임을 입증하기를, 많은 인내와 환난과 궁핍과 곤란과 매맞음과 갇힘과 소요와 수고와 깨어 있음과 금식에서 그리하였으며』(고후 6:3-5).

하나님의 은혜를 헛되이 받은 자들(1,2절)

『이제 우리는 그와 함께 일하는 자들로서 너희에게 권고하노니 너희는 하나님의 은혜를 헛되이 받지 말라. (말씀하시기를 "기뻐 받아들여진 때에 내가 네 말을 들었고 구원의 날에 너를 도왔도다." 하였으니, 보라, 지금이 기뻐 받아들여진 때요, 보라, 지금이 구원의 날이라.)』(1,2절).

본문 1절에서 사도 바울은 그리스도인을 "일하는 자"로 표현한다. 그리스도인은 가만히 앉아 있으라고 구원받은 것이 아니라, 일어서서 섬기라고 구원받은 것이다. **『우리는 하나님과 함께 일하는 동역자들』**이며(고전 3:9), 또한 성도들 서로 간에 동료 일꾼들인 것이다(살전 3:2, 빌 4:3). 구원받는 데에는 믿음만 있으면 되지만, 은혜로 값없이 구원받은 후에는 "자기 몸으로 행함으로써"(고후 5:10) 주님을 섬겨야 한다.

사도 바울은 고린도 교회의 성도들에게 『너희는 하나님의 은혜를 헛되이 받지 말라.』라고 권면했는데, 가시적으로 나타나신 "하나님의 은혜"는 주 예수 그리스도이시다. **『이는 구원을 주시는 하나님의 은혜가 모든 사람에게 나타나서』**(딛 2:11). **『그 말씀이 육신이 되어 우리 가운데 거하시므로, (우리가 그의 영광을 보니, 아버지의 독생자의 영광으로) 은혜와 진리가 충만하더라... 우리 모두가 그의 충만한 데서 받았으니 은혜 위에 은혜니라. 율법은 모세를 통하여 받았지만 은혜와 진리는 예수 그리스도를 통하여 온 것이라』**(요 1:14,16,17). 하나님의 은혜이신 예수 그리스도를 영접하는 방법은 그분의 이름으로(요 1:12) 주어진 은혜의 복음을 "믿는" 것인데, 바울은 이 복음을 헛되이 믿은 결과 구원받지 못한 자들이 있다고 경고하고 있다. **『형제들아, 내가 너희에게 전한 복음**

을 이제 너희로 알게 하노니 이는 너희가 받았고 그 안에 선 것이라. 만일 너희가 내가 전한 복음을 굳게 잡고 헛되이 믿지 아니하였다면 복음을 통하여 너희도 구원받은 것이라. 내가 받은 것을 먼저 너희에게 전달하였나니 이는 성경대로 그리스도께서 우리의 죄들로 인하여 죽으시고 장사되셨다가 성경대로 셋째 날에 다시 살아나셔서』(고전 15:1-4).

사도 바울이 고린도 교회의 성도들에게 보내는 두 서신에서 『너희가... 복음을... 헛되이 믿지 아니하였다면』과 『너희는 하나님의 은혜를 헛되이 받지 말라.』와 같은 표현을 반복적으로 사용하는 것은, 고린도 교회 안에 은혜의 복음을 믿지 아니하여 구원받지 못한 자들이 있었기 때문이다. 우리는 각 지역 교회에서 이런 자들을 늘 예의 주시하고 있어야 하는데, 사도 바울뿐만 아니라 베드로도 그 점을 경고했었다(행 20:29,30, 갈 3:1,5, 벧후 2:1,2). 그 가짜 성도들은 그들 앞에 제시된 하나님의 은혜를 알고도 거부했고, 결국 그 은혜로부터 떨어져 나가고 말았다(갈 5:4). 신약 교회사를 통관해 보면, 그런 자들이 지역 교회들에 무수히 다녀갔지만 끝내 멸망하고 만 것이다. 그들의 특징은 지역 교회에 오래 출석했어도 영적 성장이 없고, 교회의 사역에 불만을 표출하거나 간간이 육신적인 문제를 일으켜서 주변 성도들을 불편하게 한다는 데 있다. 하나님께서는 그런 자들이라 해도 죄에서 돌이켜 하나님의 은혜를 바르게 받아들이고 예수 그리스도를 영접함으로써 "지금 당장 구원을 받아야 한다"고(2절) 강조하신다.

본문 2절은 『보라, 지금이 기뻐 받아들여진 때요, 보라, 지금이 구원의 날이라.』라고 하면서 특별히 교회 시대("지금")의 구원을 강조하고 있는데, 이는 교회 시대가 그 어느 때보다도 구원받기 쉬운 특별한 기간이기 때문이다. 우리가 살고 있는 교회 시대를 "은혜의 시대"라고 부르는 것은 이 시대의 구원 방법이 오직 "은혜"에 의해서만 이뤄지기 때문이다(엡 2:8,9). **창세기(6:8)부터 요한계시록까지 죄인들을 향한 하나님의 은혜가 발견되지 않는 시대는 없지만, 그럼에도 불구하고 현 교회 시대는 행위가 아닌 오직 믿음을 통해 은혜로 구원을 받기 때문에 다른 어떤 시대보다도 더 "은혜"의 시대라고 할 수가 있다**. 따라서 오순절 성령강림 때부터 교회의 휴거에 이르는 약 2천 년의 기간을 가리켜 『**기뻐 받아들여진 때**』요, 『**구원의 날**』이라고 하는 것에는 매우 실질적 의미가 있는 것이다. 죄인이 구원을 받거나 구원을 유지하기 위해 아무것도 행할 필요가 없는 "한 기간"이 바로 이 교회 시대이기 때문이다. 그와 같은 기간은 다른 어디서도 찾아볼 수가 없다.

하나님의 일꾼이라는 증거들(3-10절)

『이 직분이 비난받지 않게 하려고 어떤 일에도 거침이 되지 않게 하였고 오히려 모든 일에서 우리 스스로가 하나님의 일꾼들임을 입증하기를, 많은 인내와 환난과 궁핍과 곤란과 매맞음과 갇힘과 소요와 수고와 깨어 있음과 금식에서 그리하였으며 순결과 지식과 오래 참음과 친절과 성령과 가식 없는 사랑과 진리의 말씀과 하나님의 능력과 오른손과 왼손에 든 의의 병기로써 영광과 오욕으로써 또 악평과 호평으로써 그리하였고 속이는 자들 같으나 진실하며, 이름 없는 자 같으나 유명하고, 죽은 자 같으나, 보라, 우리가 살아 있으며, 매를 맞았으나 죽지 아니하였고, 슬퍼하는 자 같으나 항상 기뻐하며, 가난한 자 같으나 많은 사람을 부요하게 하고, 아무것도 없는 것 같으나 모든 것을 가졌느니라』(3-10절).

고린도후서는 "그리스도인 사역자"를 위한 책인데, 특히 1장부터 7장까지는 바울을 비롯한 그리스도인 사역자들의 사역에 관한 내용을 담고 있으며, 그중에서도 6장 본문은 백미 중의 백미이다. 바울은 자신의 사도로서의 직분을 비난하는 자들에게 자기가 왜 그리스도의 종인가를 같은 서신에서 개인적인 경험들을 통해 입증하는데(고후 11:23-27), 위의 본문 또한 그 점을 분명하게 제시해 주고 있다.

바울은 그 점을 제시하기에 앞서서, 자신 스스로가 그의 화해의 직분이(5:18; 6:3) 비난받을 만한 구실을 제공하지 않으려고 그 어떤 일에도 거침이 되지 않기 위해 노력했다는 사실을 강조했다(3절). 바울은 자신의 잘못으로 인해(벧전 4:15) 합법적인 비난이 가해지지 않도록 매우 신중하게 섬겼던 것이다. 세상과 하나님을 화해케 하는 "화해의 직분"은 비단 사역자뿐만 아니라 모든 그리스도인에게 주어진 직분이다. 따라서 성도라면 비록 사역자가 아니라도 자기가 전하는 화해의 복음에 비난과 모독이 가해지지 않도록 어떤 거침이 될 만한 일을 하지 않도록 주의해야 하는 것이다. 하나님의 부르심을 받은 일꾼은 모든 면에서 본이 되어야 하는데(딤전 4:12), 사도 바울은 자신이 하나님의 일꾼임을 입증하기 위해 여러 가지 본들을 제시했다. 아래 내용들은 그리스도인 사역자로서의 생이 어떠한가를 바울의 개인적인 경험을 통해 증명하고 있다.

◆ 『**많은 인내와 환난과 궁핍과 곤란**』(4절). ➠ 그리스도인 사역자는 많은 인내심이 있어야 한다. 그는 고난을 통과해야 하며, 필요한 모든 것을 늘 가질 수만은 없는 인생을 견딜 수 있어야 한다. 그러면 동일한 처지에 있는 누군가를 위로할 날이 오게 된다(고후 1:4). 또한 사역자는 자신을 곤란하게 만드는 실제적인 위기들도 다룰 줄 알아야 한다.

◆ 『**매맞음과 갇힘**』(5절). ➠ 본문 5절은 4절에 비해 험난하다. 라오디케아인

들의 교회 시대의 사역자들이 매를 맞고 감옥에 갇히는 일은 거의 없지만, 사역자라면 자신을 멍들게 하고 피 흘리게 하는 "매 맞음"과 "갇힘"을 견뎌내야 한다.

◆『소요』(5절). ➠ 소요는 사도 바울이 데살로니가(행 17장)와 에베소(행 19장)에서 겪었던 것과 같은 거친 논쟁과 폭동들이다. 사역자는 복음의 진리를 대적하는 군중의 소요에 직면할 수도 있다.

◆『수고』(5절). ➠ 사역자라면 수고하여 스스로 먹고살 수 있어야 한다(고전 4:12, 행 18:3). 하지만 본문의 수고는 말씀(딤전 5:17)과 기도(행 6:4)에 수고하는 것을 언급할 수도 있다. 말씀을 진지하게 연구하는 일과 혼을 토해 내는 기도는 수고스러운 일이다. 그리스도께서는 겟세마네 동산에서 그런 기도를 하시면서 땀을 큰 핏방울처럼 흘리셨다(눅 22:44).

◆『깨어 있음』(5절). ➠ 사역자가 늘 깨어 있지 않으면 자신은 물론, 그에게 맡겨진 사역과 교회가 위태로워진다. 사역자는 살의에 찬 적군을 눈앞에 두고서 불침번을 서는 것처럼 깨어 있어야 한다.

◆『금식』(5절). ➠ 사역자는 사역을 위해 금식할 줄 알아야 한다. 금식은 보통의 기도로는 이룰 수 없는 일들을 이룬다(마 17:21).

◆『순결』(6절). ➠ 사역자는 다른 사람들의 죄들에 동참자가 되지 말고 자기 자신을 정결하게 지켜야 한다(딤전 5:22).

◆『지식』(6절). ➠ 사역자는 성경을 올바로 나누어 공부함으로써 진리의 지식에 이르러야 한다(딤후 2:15). 교단 교리들을 가르치는 사람은 하나님의 부르심을

받은 사역자라고 말할 수 없다.

◆ 『오래 참음』(6절). ➡ 사역자는 오래 참는 사랑이 있어야 한다(고전 13:4, 갈 5:22, 딤후 2:24).

『주의 종은 다투어서는 아니되고, 모든 사람들에게 온유하며 가르치기를 잘하고, 잘 참으며』(딤후 2:24).

◆ 『친절』(6절). ➡ 사역자는 자기를 박해하는 자들에게 친절을 보여 줘야 한다(롬 12:17-21, 고전 13:4, 갈 5:22).

◆ 『성령』(6절). ➡ 사역자는 성령의 능력과 권위로 섬겨야 한다.

◆ 『가식 없는 사랑』(6절). ➡ 사역자는 성도들을 꾸밈없이 사랑해 주어야 한다.

◆ 『진리의 말씀과 하나님의 능력』(7절). ➡ 사역자는 하나님의 능력으로 진리의 말씀을 전파해야 한다.

◆ 『오른손과 왼손에 든 의의 병기』(7절). ➡ 사역자는 언제나 하나님의 전신갑옷을 입고 있어야 한다(엡 6:13).

◆ 『영광과 오욕』(8절). ➡ 사역자에게는 그의 사역과 관련하여 그를 참으로 사랑하고 존경하는 이들이 있지만, 반대로 그에게 조금도 도움이 되지 않는 이들도 있다. 사역자는 자신을 겉으로 존경하는 사람들을 주의해야 하는데, 잘못된 사람들은 존경을 표현했다가도 어느 날 문득 모욕을 주고 떠나기 쉽기 때문이다.

하나님의 부르심을 받은 일꾼은 모든 면에서 본이 되어야 하는데(딤전 4:12), 사도 바울은 자신이 하나님의 일꾼임을 입증하기 위해 여러 가지 본들을 제시했다. 그리스도인 사역자로서의 생이 어떠한가를 바울 자신의 개인적인 경험으로 증명한 것이다.

◆ **『악평과 호평』**(8절). ➠ **사역자에게는 그를 험담하는 자들과 칭찬하는 이들이 공존한다**. 전자에 대해서는 머리를 굴려 복잡하게 생각하지 말아야 하며, 후자에 대해서는 그들로 인해 우쭐해지지 말아야 한다.

◆ **『속이는 자들 같으나 진실하며』**(8절). ➠ **사역자는 마귀가 심어 놓은 삯꾼들로 인해 세상에서 동일한 사기꾼처럼 여겨지지만, 그가 행하는 사역은 하나님과 성도들 앞에서만큼은 진실하다**.

◆ **『이름 없는 자 같으나 유명하고』**(9절). ➠ **사역자의 목표는 세상의 관심을 받는 데 있지 않다**. 반면에 그가 마땅히 해야 할 일로 주님을 신실하게 섬긴다면 진리를 아는 사람들에게 잘 알려질 것이다.

◆ **『죽은 자 같으나, 보라, 우리가 살아 있으며』**(9절). ➠ **사역자는 세상적인 즐거움과 자아의 욕망을 포기했기에 세상에서는 죽은 자와 같다**. 하지만 그러한 희생을 통해 하나님께는 살아 있는 자로 여겨지게 되며, 하나님께서는 그러한 사역자들의 발자취를 일일이 기억하시고 보상해 주신다.

◆ **『매를 맞았으나 죽지 아니하였고』**(9절). ➠ **사역자는 때때로 하나님께 징계를 받아 "매를 맞을" 수도 있지만(히 12:5-11), 그 목적은 그를 죽이시려는 데**

있지 않고 하나님께 온전히 복종하며 살게 하시려는 데 있다. 하나님께서는 사역자의 유익을 위하여 매질하시고, 그가 많은 열매를 맺게 하려고 매질하신다.

◆ 『슬퍼하는 자 같으나 항상 기뻐하며』(10절). ➠ 사역자는 바울처럼 마음에 큰 근심과 그치지 않는 슬픔이 있을 수 있지만(롬 9:2), 하나님의 영광의 소망으로 즐거워할 수도 있다(롬 5:2). 이처럼 사역자의 인생은 양극성의 연속이다. 『나는 비천에 처할 줄도 알고, 또 풍부함에 처할 줄도 알며, 모든 처지와 모든 일에 있어서 나는 배부름과 배고픔과 풍부함과 궁핍함을 다 배웠노라』(빌 4:12).

◆ 『가난한 자 같으나 많은 사람을 부요하게 하고』(10절). ➠ 사역자는 자신의 직분을 수행하면서 육신적으로 궁핍할 수 있다. 하지만 그가 전하는 메시지는 그것을 믿는 사람들을 금과 보석들로 지어진 새 예루살렘으로 데려다준다(계 21장).

◆ 『아무것도 없는 것 같으나 모든 것을 가졌느니라』(10절). ➠ 사역자는 가진 것이 없을지라도 모든 것이 그의 것이다. 왜냐하면 그는 하나님을 소유했기 때문이다. 『바울이나, 아폴로나, 게바나, 세상이나, 생명이나 사망이나, 현재의 것들이나 장래의 것들이나, 모든 것이 너희의 것이요, 너희는 그리스도의 것이요, 그리스도는 하나님의 것이로다』(고전 3:22,23). 『자기 아들을 아끼지 아니하시고 우리 모든 사람을 위하여 내어주신 분이 어찌 그 아들과 함께 또한 모든 것을 우리에게 값없이 주시지 아니하겠느냐?』(롬 8:32)

■ 새롭게 깨달았거나 적용할 내용이 있다면 적어 보세요. ■

성도여, 마음을 넓히라(11-13절)

『오 너희 고린도 사람들아, 우리의 입이 너희에게 열려 있고 우리의 마음이 넓어져 있도다. 너희는 우리 안에서 좁아진 것이 아니요 너희의 애정 안에서 좁아진 것이니라. 이제 (내가 나의 자녀들에게 말하듯 하니) 너희도 이에 보답하듯 마음을 넓히라』(11-13절).

사도 바울은 본문에서 자신과 고린도 교회 성도들 간의 애정 문제를 다룬다. 바울 자신은 고린도 교회 성도들을 향해 입과 마음이 다 열려 있지만, 그들은 바울을 향한 애정이 좁아져 있다는 것이다. 바울은 이 문제를 부모와 자식의 관계에 빗대어서 해결하려고 한다. 『**이제 (내가 나의 자녀들에게 말하듯 하니) 너희도 이에 보답하듯 마음을 넓히라**』(13절). cf. 고린도전서 4:15 - 『**이는 너희가 그리스도 안에서 일만 명의 스승을 가졌을지라도 아비들은 많지 아니하니 그리스도 예수 안에서 복음을 통하여 내가 너희를 낳았음이라.**』

부모는 자기가 낳은 자식을 향해 쉽게 입을 닫거나 마음을 좁히지 않지만, 자식은 부모에게 입을 닫고 마음을 좁히는 일을 밥 먹듯이 한다. 부모의 사랑과 애정은 자식을 늘 둘러싸고 있지만, 자식은 부모를 향한 사랑과 애정이 그에 미치지 못하는 경우가 허다하다. 바울은 고린도 교회 성도들의 영적 아버지인 바울 자신의 열려 있는 애정에 대해 그들이 보답해야 한다고 말했는데, 그 방법은 그들의 마음을 넓히는 것이었다. 『**너희도 이에 보답하듯 마음을 넓히라**』(13절).

고린도 교회 성도들이 그들의 애정(bowels, 내부, 중심부) 안에서 좁아졌다는 것은, 그들이 마음속에서부터 바울을 사랑하지 못했음을 보여 준다. 다시 말해 고린도 교회 성도들의 "속," 곧 그들의 기분과 감정이 존재하는 그곳이 몹시 좁아져 있어서 바울을 사랑할 여지가 없었다는 것이다. 하지만 바울은 그들에게 사랑받을 만한 충분한 이유가 있었기 때문에, 자기가 그동안 고린도 교회 성도들에게 베푼 사랑에 대해 그들이 "보답"해야 한다고 말하고 있다. **애정이 좁아져 있다면, 그동안 받은 사랑을 생각해서 그 좁아진 마음을 넓혀야 한다는 것이다. 이처럼 자신이 받은 사랑과 은혜를 잊어버리고, 그 사람을 육신적으로 판단하며 외면하는 것은 성경에서 금지된 일이다.**

성도의 성별(14-18절)

> 『믿지 않는 자들과 멍에를 같이 메지 말라. 의가 불의와 어찌 관계를 맺으며 빛이 어두움과 어찌 사귀겠느냐? 그리스도가 벨리알과 어찌 조화를 이루며 또한 믿는 자가 믿지 않는 자와 어떤 부분을 같이하겠느냐? 하나님의 성전과 우상들이 어찌 일치되겠느냐? 이는 너희가 살아 계신 하나님의 성전임이라. 하나님께서도 말씀하시기를 "내가 그들 가운데서 살 것이며 그들 가운데서 다닐 것이며 나는 그들의 하나님이 되고 그들은 나의 백성이 되리라. 그러므로 주가 말하노라. 너희는 그들에게서 나와 따로 있고 더러운 것을 만지지 말라. 그리하면 내가 너희를 영접할 것이며 또 나는 너희에게 아버지가 되고 너희는 내 아들들과 딸들이 되리라. 전능하신 주가 말하노라."고 하셨느니라』(14-18절).

14-18절은 그리스도인이 그의 마음에 반드시 새기고 있어야 할 말씀으로서, 그 주제는 "성별"이다.

첫째, 『믿지 않는 자들과 멍에를 같이 메지 말라.』(14절)라는 말씀은, 특히 고린도 교회 안의 육신적인 무리와 어울리지 말라는 의미이다(고후 10:7-12;

11:4,13-15). 고린도 교회의 상황이 바로 그러한 무리로 인해 엉망이 되었기 때문에, 그들로부터의 성별이 곧 교회를 살리는 길이었던 것이다.

둘째, 『믿지 않는 자들과 멍에를 같이 메지 말라.』(14절)라는 말씀은 구원받은 사람이 구원받지 않은 사람과 "결혼"하면 안 된다는 것을 증명하는 주요 구절이다. 멍에는 두 짐승이 동시에 움직일 수 있도록 그 짐승들에게 씌우는 기구이므로, 멍에를 함께 쓴 짐승들은 같은 방향으로 갈 수밖에 없다. **『두 사람이 동의하지 않고 함께 걸을 수 있겠느냐?』**(암 3:3) 본문에 따르면 믿는 배우자와 믿지 않는 배우자는 의와 불의의 관계요, 빛과 어두움, 그리스도와 벨리알, 하나님의 성전과 우상들의 관계이기 때문에 그러한 만남은 결코 복이 될 수 없다. 오히려 사탄에게 속한 배우자로 인해 그들의 "결혼 생활"은 "지옥"이 될 수도 있다.

셋째, 본문을 오해한 성도는 성별을 초극단적으로 추구할 수도 있는데, 사도 바울은 이에 대해 고린도전서 5:9,10에서 다음과 같이 이야기했다. **『내가 너희에게 쓴 편지에는 음행하는 자들과 사귀지 말라고 하였으나 이는 이 세상의 음행하는 자들이나 탐욕하는 자들이나 약탈하는 자들이나 우상 숭배하는 자들과 전혀 함께하지 말라는 것이 아니니 그렇게 하려면 너희가 세상 밖으로 나가야 할 것이니라.』**

사람들이 모여 사는 세상은 만남이 없이는 삶이 이뤄질 수가 없다. 만남이 없다면 개인의 생활은 물론, 지역 사회와 국가 자체도 운영이 불가능해진다. 이런 세상에 살면서 세상 사람들과 아예 함께하지 않으려 한다면 차라리 지구 밖으로 나가 살아야 한다는 것이 바울의 가르침이다. 인생은 사람들이 얽혀서 살 수밖에 없는 구조이기 때문에 물리적으로 완전한 성별은 불가능하다. 따라서 성도들이 추구해야 할 성별은 "영적 성별"이다. 성도들이 영적 성별을 유지하는 것은 매우 중요한데, 이는 그들이 세상 정욕을 거부하고 하나님의 말씀대로 살면서 그분과 동행할 때 세상은 그 모습을 주시하면서 그들을 "하나님의

아들들과 딸들"로 인식할 것이기 때문이다. 『그러므로 주가 말하노라. 너희는 그들에게서 나와 따로 있고 더러운 것을 만지지 말라. 그리하면 내가 너희를 영접할 것이며 또 나는 너희에게 아버지가 되고 너희는 내 아들들과 딸들이 되리라. 전능하신 주가 말하노라."고 하셨느니라』(17,18절). 이렇게 되면 우리 그리스도인들이 세상에서 살아 숨 쉬며 존재하는 것 자체가 살아 있는 간증이 될 수 있다.

넷째, 성별에 관해 주의할 점은, 물리적 성별을 이루었어도 영적 성별을 이루지 못했다면 그러한 성별은 헛되다는 사실이다. 술도 마시지 않고 담배도 피우지 않으며 세상적인 오락이 있는 곳에는 얼씬도 하지 않는 사람이 되레 말씀도 믿지 않고 기도도 하지 않고 있다면, 그는 "공동묘지의 시체"나 다름없는 사람이다. **말씀과 기도에 시간을 들이지 않는 "성별주의자"는 세상 외딴곳의 공동묘지에 누워 있는 시체와 같을 뿐이다. 분리만 되어 있을 뿐 하나님께는 아무 쓸모도 없는 것이다!**

『복 있는 사람은 악인들의 간계를 따르지 아니하며, 죄인들의 길에 서지 아니하며, 조롱하는 자들의 자리에 앉지 아니하는도다. 그의 즐거움이 **주**의 법에 있으니, 그가 주의 법을 주야로 묵상하는도다. 그는 강가에 심겨진 나무 같아서 계절을 따라 열매를 맺으며, 그의 잎사귀도 마르지 아니하리니, 그가 무엇을 하든지 번성하리로다』(시 1:1-3).

■ 새롭게 깨달았거나 적용할 내용이 있다면 적어 보세요. ■

제6과
복습문제

1. 누군가가 하나님의 은혜를 헛되이 받았다는 것은 그가 구원받지 않았다는 것을 의미한다. (O , X)

2. 우리가 살고 있는 교회 시대를 "은혜의 시대"라고 부르는 것은 이 시대의 구원 방법이 오직 (   )에 의해서만 이뤄지기 때문이다.

3. 성도들은 자신이 받은 사랑에 대해 (   )해야 한다.

4. 『믿지 않는 자들과 멍에를 같이 메지 말라.』(고후 6:14)라는 말씀의 주제는 (   )이다.

5. 『믿지 않는 자들과 멍에를 같이 메지 말라.』(고후 6:14)라는 말씀은 구원받은 사람이 구원받지 않은 사람과 (   )하면 안 된다는 것을 증명하는 주요 구절이다.

6. 물리적인 성별을 이루었어도 (   ) 성별을 이루지 못했다면 헛되다.

■ 복습 문제의 정답은 홈페이지(www.solomonbtc.org)에서 확인할 수 있습니다.

NOTES

NOTES

NOTES

<추천도서>

고린도후서

피터 S. 럭크만 지음 / 290쪽
15,000원(eBook 6,900원))

본서는 사도 바울의 생애가 어떠했는지를 알려 주며, 특히 하나님의 부르심을 받은 사역자들에게 귀한 지침이 된다.

광야에서 외치는 음성

이송오 목사 지음 / 332쪽 / 16,000원

올바른 신앙생활을 위해서는 먼저 구원받아야 하고, 그 후로는 영적으로 성장해야 한다. 또한 잘못된 교회들의 미혹을 물리치고 바른 진리를 택할 줄 알아야 한다.

높은 곳으로부터 오는 능력

찰스 피니 지음 / 192쪽
6,000원(eBook 3,900원)

저자는 죄인들의 극적인 회심에 관한 이야기들과 함께 어떻게 능력을 받고, 죄들을 이기고, 효과적인 기도를 하는지 알려 준다.

고난 속에서 지킨 믿음

하랄란 포포프 지음 / 278쪽 / 10,000원

이 책은 공산주의 치하의 불가리아에서 성경대로 믿는 믿음을 지키기 위해 13년 동안 옥고를 치른 하랄란 포포프 목사의 사역을 그려 놓고 있다.

솔로몬 성경공부 시리즈

고린도후서

제1권 그리스도인 사역자의 고난과 영광 (1-6장)

초판1쇄 2021년 1월 29일
초판4쇄 2021년 5월 7일
지 은 이 / 편 집 부
발 행 인 / 이 송 오
발 행 처 / 말씀보존학회
출판등록 / 1988. 12. 12. 제16-223호
주 소 / 서울 강서우체국 사서함 제90호
전 화 / (02) 2665 - 3743
팩 스 / (02) 2665 - 3302
인 터 넷 / www.biblemaster.co.kr

값 10,000 원